CHAGAS
Una tragedia silenciosa
A silent tragedy

MÉDICOS
SIN FRONTERAS

LOSADA

Médicos Sin Fronteras

Chagas. Una tragedia silenciosa: edición bilingüe. —1a ed.-
Buenos Aires: Losada, 2005.
112 p. : fot. ; 28x22 cm.

Traducido por: Carina Corral y Katie Ann Young.

ISBN 950-03-9369-7

Fotografías-Mal de Chagas. I. Corral Carina, trad. II Young, Katie Ann, trad.II. Título

CDD 778.961 693 63

Fecha de catalogación: 03 de febrero de 2005

Primera Edición Marzo 2005   First Edition March 2005

Dirección editorial   Editorial Director
LOSADA Y MÉDICOS SIN FRONTERAS

Fotografías   Photographs
MÉDICOS SIN FRONTERAS

Textos   Text
MÉDICOS SIN FRONTERAS
EDUARDO GALEANO

Traducción   Translation
CARINA CORRAL
KATIE ANN YOUNG

Diseño   Design
ALEJANDRO ROS

Coordinación   Production
CLAUDIA ERMENINTO
CARMEN ESCALANTE

Positivado de las fotografías   Photo processing
BUENOS AIRES COLOR
www.buenosairescolor.com.ar

Impresión   Printed by
GRÁFICAS SUMMA, Llanera (Asturias)
Depósito legal: AS. 816-2005

**Dedicado a todos los
enfermos de Chagas**

MÉDICOS SIN FRONTERAS

Dedicated to all
Chagas patients

MÉDECINS SAINS FRONTIÈRES

¿Qué es la enfermedad de Chagas?

El Chagas es una enfermedad mortal de
Latinoamérica. Puede afectar a más de
100 millones de personas y unos
18 millones ya la han contraído.

Chagas is a fatal illness particular to
Latin American. More than 100 millon
people could affected and estimated
18 million people already have
the disease.

¿Qué es la enfermedad de Chagas?

El Chagas forma parte, junto con la malaria, la tripanosomia-sis humana africana o la leishmaniasis visceral, de la lista de principales enfermedades parasitarias que amenazan la salud pública en el mundo[1], siendo "exclusiva" del Continente Americano (desde el sur de Estados Unidos hasta el Cono Sur de América Latina). El área endémica coincide con las zonas que registran presencia del vector, tradicionalmente concentrado en áreas rurales. Sin embargo, debido a la migración hacia zonas urbanas en las últimas décadas, están cambiando los patrones epidemiológicos y ahora puede encontrarse Chagas también en áreas metropolitanas del continente, así como en Europa (debido a las migraciones procedentes de México, Centroamérica y Suramérica).

El parásito causante del Chagas, es el llamado Tripanosoma Cruzi. Una vez el parásito se introduce en el cuerpo humano, y tras un corto periodo en que es visible en sangre, se incrusta en los tejidos internos del organismo y provoca daños irreversibles en el corazón, esófago, colon y sistema nervioso. La enfermedad puede permanecer oculta y no ser detectada durante años debido a que la sintomatología de las lesiones en estos órganos tarda mucho tiempo en manifestarse.

Se calcula que el 80% de los contagios son producidos por la picadura de la vinchuca o chinche selvático, a veces llamado "el insecto asesino". Las otras vías más comunes de infección son el contagio de madre a hijo durante el embarazo o las transfusiones de sangre infectada.

What is Chagas disease?

Chagas disease, together with malaria and human African trypanosomiasis or visceral leishmaniasis, is one of the main parasitic diseases to threaten public health around the world[1]. It is exclusive to the American Continent (covering an area from the south of the United States to the Southern Cone of South America). The endemic area coincides with regions which have a registered presence of vectors (carriers and transmitters of the parasite), generally concentrated in rural areas. However, the situation has altered over the last few decades and various factors have coincided to change the epidemiological pattern of the disease. Chagas is no longer restricted to the rural areas of the American continent as migration to urban centres has opened up new channels of transmission, both congenitally and via blood transfusions. As a result Chagas can now be found in the metropolitan areas of the continent as well as in Europe (due to migration from Mexico, Central America and South America).

Chagas disease is an infection caused by a parasite called *Trypanosoma cruzi*. Once the parasite enters the body, and after a brief period during which it can be detected in the blood, it invades the internal body tissue causing irreversible damage to the heart, oesophagus, colon and the nervous system of between 10% and 40% of those affected. Due to the fact that the symptoms of the lesions in these organs take a long time to appear, the disease may lie dormant and remain undetected for years.

It is estimated that 80% of transmission is produced by bites from the vinchuca or wild bed bug, sometimes referred to as the "assassin bug". The other most frequent channels of transmission are mother-to-baby during pregnancy and via infected blood transfusions.

[1] Colley DG 2000. *Parasitic Diseases: Opportunities and Challenges in the 21st Century*. Mem Inst Oswaldo Cruz, Río de Janeiro, Vol. 95, Suppl. I: 79-87.

Orígenes de la enfermedad

La enfermedad o mal de Chagas debe su nombre a un médico brasileño, el Dr. Carlos Chagas[2], quien en 1909 trabajaba en una campaña antimalárica en el estado de Minas Gerais por encargo del prestigioso Instituto Oswaldo Cruz, entonces conocido como Instituto Bacteriológico de Manguinhos. Allí descubrió un insecto (la vinchuca) que se ocultaba en las paredes agrietadas de las casas y en los techos de paja, alimentándose de sangre durante la noche. El análisis de estos insectos reveló que sus intestinos estaban llenos de un parásito al que Carlos Chagas dio el nombre de Tripanosoma cruzi en honor a su maestro. Éste fue el primero de una serie de hallazgos que dieron como resultado un triple descubrimiento: la enfermedad en los seres humanos, su agente causal (el parásito) y su vector transmisor (los Triatominos o vinchucas).

Además, su descubridor determinó que esta infección se limitaba al Continente Americano y, por primera vez, puso el acento en el hecho de que se trataba de una enfermedad olvidada: "Hable de esta dolencia y tendrá a todos en contra. Más vale ocuparse de infusorios de batracios que no despiertan alarma a nadie", afirmaba.

A pesar de su reciente descubrimiento, el mal de Chagas existe desde mucho antes. Estudios realizados en momias de Perú y Chile de hasta el año 2000 a.c. y numerosos vestigios arqueológicos han revelado evidencias de la infección en humanos desde muy antiguo. En Bolivia, Argentina, Chile, Perú y Paraguay se conoce al insecto transmisor como vinchuca, un vocablo derivado de la palabra quechua *huychucuy*, cuyo significado, "tirarse o descolgarse", haría referencia a su hábito de dejarse caer durante la noche para alimentarse de la sangre de animales y humanos.

Hay referencias históricas sobre el Chagas en distintos períodos: desde Fray Fernandino de Lizárraga, en el siglo XVI, al mismísimo Charles Darwin, en el XIX. En tiempos de las colonias, el Padre Lizárraga menciona a la vinchuca y sus hábitos en los valles bolivianos de Cochabamba. Unos siglos después, Charles Darwin hace referencia a las "benchucas" en el diario de viaje que publica a su regreso. Incluso existen indicios que permiten afirmar que Darwin pudo haber muerto a causa de alguna patología chagásica adquirida durante su travesía americana.

The origins of the illness

Chagas disease is named after the Brazilian doctor, Dr. Carlos Chagas[2]. In 1909 Dr. Chagas was commissioned by the prestigious Oswaldo Cruz Institute, known at the time as the Manguinhos Bacteriological Institute, to work on an anti-malarial campaign in the State of Minas Gerais. It was during this work that he discovered an insect - the vinchuca - that hid in the cracked walls and straw roofs of houses, feeding on the blood of its inhabitants during the night. Insect analysis revealed that its intestines were full of a parasite that Carlos Chagas named *Trypanosoma cruzi*, in honour of his mentor. This marked the first in a series of breakthroughs leading to a triple discovery: the disease in humans, its causal agent (the parasite), and its transmitting vector (*triatomas* or vinchuchas).

Dr Chagas also determined that this infection was confined to the American Continent and was the first to stress its status as a neglected disease: "The mention of this ailment will have everybody up in arms. You'd be well advised to concentrate on batrachian infusoria, which don't cause so much panic".

Although only recently discovered, evidence shows that Chagas disease has been around for a long time. Studies carried out on mummies in Peru and Chile dating back to the year 2000 BC and numerous archaeological remains indicate the existence of the disease in humans even then. In Bolivia, Argentina, Chile, Peru and Paraguay the insect that transmits the disease is known as the vinchuca, a word deriving from the Quechua term *huychucuy* meaning "to throw oneself down". This makes reference to its nocturnal habit of falling upon its human or animal victims in order to feed on their blood.

References to Chagas can be found in different historical periods: from Friar Fernandino de Lizárraga in the 16th century to Charles Darwin himself in the 19th century. Father Lizárraga mentions the vinchuca and its habits in colonial times in the Cochabamba valleys of Bolivia. Some centuries later, Charles Darwin made reference to the "benchucas" in the travel journal he published on his return. There is even evidence to confirm the theory that Darwin could have died of a Chagas-related pathology contracted during his travels in the Americas.

---

[2] Dr. Carlos Justiniano Ribeiro das Chagas, 1879-1934.

Una vez descubierta la enfermedad a principios del siglo XX, en varios países de América del Sur y Central comienzan a identificarse casos de Chagas. Entre 1914 y 1924, se registran infectados en El Salvador, Venezuela, Perú, Paraguay, Uruguay y Panamá. En paralelo se sigue avanzando en el estudio del vector, llegándose a determinar la existencia de otras especies transmisoras como el *Rhodnius prolixus* en Colombia, Venezuela o Guatemala. En Argentina no se detectan los primeros enfermos hasta 1924, en Jujuy y Salta. Sin embargo, ya en 1914 se había descubierto la primera infección por *Triatoma infestans,* el transmisor más importante en el Cono Sur. Es en Argentina donde el Dr. Salvador Mazza se dedica por entero al estudio de la enfermedad en gran número de pacientes. Sus aportaciones, de enorme trascendencia, completaron las investigaciones iniciadas por el Dr. Carlos Chagas.

Casi un siglo después, el acceso a diagnóstico y tratamiento para la mayor parte de los infectados sigue siendo muy reducido.

Once the disease was discovered at the beginning of the 20th century, cases of Chagas were diagnosed in several Southern and Central American countries. Between 1914 and 1924 there are records of cases in El Salvador, Venezuela, Peru, Paraguay, Uruguay and Panama. At the same time further studies of the vector determined the existence of other transmitting species such as *Rhodnius prolixus* in Colombia, Venezuela and Guatemala. In Argentina, the first cases of the disease were not detected until 1924, in Jujuy and Salta. However, by 1914 patients infected by the *Triatoma infestans*, the most common vector in the Southern Cone, had been registered. It was in Argentina that Dr. Salvador Mazza devoted his efforts entirely to the case study of the disease in a great number of patients. His findings, of huge significance, completed the research initiated by Dr. Carlos Chagas.

Almost a century later, access to diagnosis and treatment continues to be limited for the majority of infected patients.

Cerámica precolombina que muestra un signo de chagoma, edema palpebral bilateral que llega a ocluir el ojo y que se produce cuando la conjuntiva ocular es la puerta de entrada del Tripanosoma cruzi.

Pre-Columbian pottery that shows a sign of chagoma, bilateral palpebral edema which leads to the obstruction of the eye and is produced when the access route of the Tripanosome cruzi is via the ocular conjunctiva.

Situación actual

Las medidas adoptadas para impedir la transmisión de la enfermedad de Chagas mediante la lucha química antivectorial y la detección en los bancos de sangre, promovidas por la Iniciativa del Cono Sur, han tenido éxito en varios países. Sin embargo, la OMS/OPS (Organización Mundial de la Salud / Organización Panamericana de la Salud) estima que existen unos 18 millones de personas infectadas[3] en el Continente Americano (de éstos, alrededor de un 20% presentarán los síntomas clínicos que caracterizan la enfermedad de Chagas). Unos 100 millones más viven en áreas endémicas de presencia del vector, donde las mediadas de control no han sido o no son aplicables (vectores no estrictamente localizados en ámbito doméstico) y, en consecuencia, en riesgo de contraer la enfermedad. En Latinoamérica[4], aproximadamente 43.000 muertes son atribuidas a esta patología cada año. La mortalidad varía entre el 2 y el 15%, según diferentes estudios[5].

Médicos Sin Fronteras (MSF) ha trabajado en los últimos años en diferentes países latinoamericanos donde el mal de Chagas afecta a millones de personas que lo padecen en silencio, y cuyo "silenciamiento" institucional les convierte en afectados por una tragedia que atenta tanto contra su derecho más básico a la salud (al negárseles el acceso al diagnóstico y tratamiento de su enfermedad) como a su dignidad humana. El objetivo de los proyectos que MSF ha puesto en marcha en países como Bolivia, Honduras o Guatemala ha sido y es realista: demostrar que es posible diagnosticar y tratar a los enfermos de Chagas; señalar que existen medios con los que combatir la enfermedad ahora mismo, sin pretextos ni falsas expectativas, rompiendo el fatalismo existente; y recalcar que la responsabilidad última de dar atención a todos los que la necesitan es un deber inexcusable de las autoridades y las políticas de salud de los Estados de Latinoamérica.

Chagas today

The prevention measures adopted and promoted in the Southern Cone initiative have proved successful in many countries. The initiative aimed to reduce the transmission of Chagas disease by using chemicals to combat the vectors and effective screening in blood banks. However, the WHO/PAHO (World Health Organization / Pan American Health Organization) estimate the number of those infected by Chagas to be around 18 million[3] on the American Continent (about 20 % of these will present the clinical symptoms that characterise Chagas disease). Another 100 million people live in endemic areas where the vector is present but where control measures have not been or are not applicable (vectors which have not strictly been located in the domestic environment), and consequently they are at risk of contracting the disease. In Latin America[4] approximately 43,000 deaths are attributed to this pathology every year. Mortality varies between 2 and 15 % according to different studies[5].

In recent years Médecins Sans Frontières (MSF) has been working in different Latin American countries where Chagas affects millions of silent victims. Their institutional "silencing" and denied access to diagnosis and disease treatment makes them victims of a tragedy that infringes their most basic right to health care as well as their human dignity. The objective of the projects launched by MSF in countries such as Bolivia, Honduras or Guatemala was, and continues to be, realistic: to prove that the diagnosis and treatment of Chagas patients is possible; demonstrate that the means to fight the disease already exist without excuses or false expectations, thus eliminating the existing fatalism; and stress that those ultimately responsibility for providing medical assistance to those in need are the authorities and the health policies of the Latin American states.

[3] OPS Bolivia. *La prevención y el control de enfermedades*. www.ops.org.bo 10/03/2002.

[4] http://www.who.int/ctd/chagas/burdens.htm

[5] Carrasco, Hugo; Carrasco V. Hugo R. *La enfermedad de Chagas aguda: una endemia que resurge*. Av. cardiol; 17(2); 41-7, 1997.

Se calcula que el 80% de los contagios son producidos por la picadura de la vinchuca o chinche selvático.

It is estimated that 80% of transmission is produced by bites from the vinchuca or wild bed bug.

El Chagas,
un "mal" de la pobreza

La enfermedad de Chagas está directamente relacionada con las precarias condiciones de vida de quienes la padecen: deficitario acceso a servicios de agua y saneamiento, insuficiencias en educación, inadecuado acceso a servicios de salud y, sobre todo, las malas condiciones de las viviendas. Casas en estado precario, con paredes de barro o adobe sin revoque, suelo de tierra y techo de paja, situadas en zonas rurales y también periurbanas, son las más propensas a albergar insectos transmisores de la enfermedad. Una característica generalizada es la abundancia de animales domésticos y la existencia de huertos con cercas de adobe, corrales con ganado, gallineros y hornos de leña. Puede decirse que el Chagas es un mal plenamente vinculado a la pobreza.

La enfermedad de Chagas es una enfermedad socioeconómica típica, inseparable de la pobreza, y supone un problema social y sanitario grave en muchos países de Latinoamérica.

A pesar de no contar con datos fiables del número de personas infectadas en el continente, se ha podido estimar que los efectos socioeconómicos de la enfermedad de Chagas son devastadores. En 1993, el Banco Mundial calculó la pérdida anual debida a la enfermedad en 2.740.000 AVAC (años de vida ajustados por discapacidad), lo que representa un coste económico para los países endémicos de América Latina equivalente a más de 6.500 millones de dólares USA al año[6]. En 2002, la OMS cita textualmente: "La pérdida económica para el continente, debida a la mortalidad precoz y morbilidad por esta enfermedad entre la población joven en años productivos, es de 8.156 millones de USD, lo que equivale al 2,5% de la deuda externa del continente en 1995[7]".

Chagas,
the poor man's disease

Chagas disease is directly related to the poor living conditions of its victims: inadequate water supplies and sanitation, insufficient education, limited access to health care and, above all, poor housing. Precarious mud or adobe, floorless dwellings with straw roofs located in rural areas or on the outskirts of towns are more likely to house transmission insects. A determining factor is the abundance of domestic animals and the existence of clay-walled vegetable plots, livestock enclosures, chicken runs and wood-burning stoves. It is clear that Chagas disease is closely linked to poverty.

Chagas is a typical socio-economic disease, and implies a serious social and public health problem for many Latin American countries.

Although there is no reliable data confirming the number of infected people on the continent, the socio-economic effect of Chagas disease has been recognised as devastating. In 1993, the World Bank calculated the annual loss caused by the disease to be 2,740,000 DALYs (disability adjusted life years), which represents an economic cost for the endemic Latin American countries of the equivalent of over 6,500 million US dollars per year[6]. In 2002, the WHO quotes: "The economic loss for the Continent due to early death and disability caused by this disease in economically productive young adults currently amounts to 8,156 million US dollars, which is equivalent to 2.5 % of the external debt of the whole Continent in 1995[7]".

[6] Schofield CJ, Dias JCP 1999. *The Southern Cone programme against Chagas disease*. Adv Parasitol 42:1-25.

[7] http://www.who.int/ctd/chagas/disease.htlm

Bolivia, el país con mayor número de afectados por la enfermedad y el segundo más pobre de América Latina, después de Haití, es el elegido en este libro para mostrar la realidad de la enfermedad de Chagas y la cara más humana de los pacientes.

En este país, Médicos Sin Fronteras lleva a cabo un proyecto integral de Chagas, del que dan testimonio las imágenes, textos e historias de vida de este libro, y que son extrapolables a la realidad que viven los enfermos de Chagas del resto del continente.

MSF realiza su tarea en estrecha colaboración con equipos sanitarios locales, compartiendo experiencias en foros nacionales e internacionales, y presionando a los responsables políticos para que se avance en el reconocimiento del derecho de acceso a diagnóstico y tratamiento de los afectados por esta enfermedad.

Este libro quiere rescatar a los enfermos de Chagas del olvido en el que están sumidos, poniéndoles cara y dándoles voz. Ellos y sus familias son los verdaderos protagonistas. Con su motivación demuestran día a día que es posible diagnosticarles y tratarles, si se les da la oportunidad.

This book has chosen Bolivia, the country with the highest recorded rate of Chagas cases and the second poorest country in Latin America after Haiti, to represent the reality of Chagas disease and the most human side of its victims.

MSF is running a program in Bolivia and the images, accounts and life stories captured in this book are a testimony to the reality of the day-to-day lives of Chagas sufferers, and which are also representative of the rest of the Continent.

MSF works in collaboration with local health teams, sharing experiences in national and international forums and pressuring policy-makers to recognise that all those affected by Chagas should have access to diagnosis and treatment.

The intention of this book is to rescue Chagas sufferers from the oblivion into which they have been submerged, giving them a face and granting them a voice. They and their families are the true protagonists. It is their motivation that proves, day after day, that diagnosing and treating them is possible, if only they are given the chance.

Bolivia, el país con mayor número de afectados por la enfermedad y el segundo más pobre de América Latina, es el elegido en este libro para mostrar la realidad de la enfermedad de Chagas.

This book has chosen Bolivia, the country with the highest recorded rate of Chagas cases and the second poorest country in Latin America, to represent the reality of Chagas disease.

P14-15: Camino hacia la comunidad de El Pescado. Provincia O'Connor. Bolivia

P14-15: The way to the El Pescado community, O'Connor province, Bolivia.

O'Connor (Bolivia)

" Los enfermos de Chagas son, casi siempre, ciudadanos sin voz. Lo primero que debe hacer un programa de prevención, diagnóstico y tratamiento de la enfermedad es romper el silencio".
MARCELINO CRUZ, RESPONSABLE DE
EDUCACIÓN DE MSF EN TARIJA.

La enfermedad de Chagas es la cuarta causa de muerte en Bolivia y responsable del 13% de los fallecimientos de personas entre 15 y 75 años. La mitad de la población está en riesgo de contraer la enfermedad y aproximadamente dos millones la padecen[1]. Las mismas cifras de OMS/OPS[2] indican que 300.000 menores de 15 años en el país ya estarían infectados.

Si bien el Ministerio de Salud boliviano contemplaba iniciar en el año 2004 el diagnóstico y tratamiento para los menores de cinco años de edad, la generalización de una terapia que pueda ofrecerse al total de los pacientes infectados aún no ha sido posible.

En el año 2002, Médicos Sin Fronteras (MSF) identificó la Provincia de O'Connor (una de las seis que forman el Departamento de Tarija, al sur de Bolivia) como una de las zonas de mayor prevalencia de la enfermedad. Uno de cada cuatro niños menores de 14 años estaba infectado en aquel momento y sin posibilidad de acceder a diagnóstico y tratamiento de la enfermedad. Ninguna institución, gubernamental o privada, ofrecía esa opción a los enfermos. Desde entonces, un equipo de MSF lucha contra la enfermedad, diagnosticando a todos los niños y niñas menores de 15 años y ofreciendo tratamiento a aquéllos que resultan positivos.

" Chagas patients are nearly always citizens without a voice. The first thing a preventative, diagnostic and treatment program should seek to do is break this silence."
MARCELINO CRUZ, RESPONSIBLE FOR
EDUCATION IN MSF, TARIJA.

Chagas disease is the fourth main cause of death in Bolivia and accounts for 13% of deaths in people between the ages of 15 and 75. Half the population is at risk of contracting the disease and around 2 million suffer from it[1]. The WHO/PAHO[2] figures indicate that 300,000 children under the age of 15 will already be infected.

In 2004 the Bolivian Ministry of Health made provisions to initiate a diagnosis and treatment program for children under the age of five; however there is still no generalised medical treatment available to all infected patients.

In 2002 MSF identified the province of O'Connor (one of the six that make up the Department of Tarija, in southern Bolivia) as one of the areas where Chagas is most prevalent. At the time, one in every four children under the age of 14 was infected and had no access to diagnosis or medical treatment. No institution, governmental or private, offered this possibility to those affected by the disease. Since then, an MSF team has been fighting against the disease, diagnosing all children under 15 and providing treatment for positive cases.

En los países latinoamericanos el mal de Chagas afecta a millones de personas que lo padecen en silencio.

In Latin American countries Chagas disease affects millions of people who suffer from it in silence.

---

[1] Según datos de 1992 de la OMS/OPS, casi la mitad de la población del país (3,7 millones de personas) estaba en riesgo de contraer la enfermedad (el área de distribución del vector transmisor se extendió en el 60% del territorio nacional). Según esta misma fuente, cerca del 50% (aproximadamente 1,8 millones de personas) ya eran infectados chagásicos.

[2] Organización Mundial de la Salud/Organización Panamericana de la Salud.

[1] According to WHO/PAHO data from 1992, almost half of the country's population (3.7 million people) were at risk of contracting the disease (the distribution of the transmission vector area extended through 60% of the national territory). According to this same source, nearly 50% (1.8 million people) were already infected with Chagas.

[2] World Health Organization / Pan American Health Organization.

Esta provincia, ubicada al oeste de la llanura de El Chaco (región compartida entre Argentina, Paraguay y Bolivia), se ha convertido en un área estratégica para todo el Cono Sur por sus enormes reservas naturales de gas. El nivel de ingresos y riqueza generado por la explotación transnacional de hidrocarburos contrasta con la pobreza de la población, en gran parte agricultores y ganaderos, pertenecientes en muchos casos a etnias autóctonas, mayoritariamente guaraníes.

En todo El Chaco, la presencia de vinchucas y enfermos de Chagas ha sido siempre elevada. Hasta hace unos años, era difícil imaginar el número de afectados, aunque en la conciencia colectiva existía la certeza de que un "mal" aquejaba a muchos miembros de las comunidades. Los habitantes de esta región, y en particular de la Provincia de O'Connor, denominaban "muerte súbita" a un tipo de fallecimiento por crisis cardiaca asociada al Chagas, que ellos mismos no relacionaban con la presencia de la vinchuca.

La vinchuca (denominada en otros países latinoamericanos "chinche") se alimenta únicamente de sangre y en su medio natural cuenta con animales salvajes (en su mayor parte aves y mamíferos) de los que proveerse. Nadie sabe a ciencia cierta en qué momento este insecto irrumpió en el hábitat humano, aunque esta evolución debió ir paralela a la penetración del hombre en el medio silvestre. La realidad es que acompañando a la vinchuca llegó el *Tripanosoma cruzi*, un parásito con el que el insecto no nace, pero que puede contraer al succionar la sangre de animales o personas que lo tienen. Una vez infectada la vinchuca, al volver a picar, puede transmitir el parásito a personas y animales de su mismo entorno.

Las áreas rurales son las más propicias para la proliferación de vinchucas, principalmente en aquellos asentamientos de población muy precarios. La conducta alimenticia y hábitos nocturnos de estos insectos les obligan a permanecer ocultos durante la mayor parte del día, por lo que precisan de huecos, grietas y espacios oscuros para su desarrollo y reproducción. Las viviendas con cubierta vegetal, paredes de adobe y sin revoque son especialmente adecuadas para ellos.

This province, located to the west of the El Chaco Plain (a common area between Argentina, Paraguay, and Bolivia), has become a strategic point for the whole of the Southern Cone due to its large reserves of natural gas. The level of income and wealth generated by the foreign exploitation of fossil fuels contrasts starkly with the impoverished population, most of whom are farmers belonging to local ethnic groups, mostly Guarani.

The presence of vinchucas and Chagas patients has always been high throughout the El Chaco area. Until recently, it was difficult to imagine the number of people affected, although it was widely accepted that a certain "ill" was afflicting many members of the community. The inhabitants of the area, particularly those from the O'Connor province, called it "sudden death", a death caused by heart failure and associated with Chagas; however they did not relate it to the presence of the vinchuca.

The vinchuca (also called the "bed bug" in other Latin American countries) feeds solely on blood and in its natural environment it preys on wild animals (mostly birds and mammals). Nobody knows for certain exactly when this insect made it into the domestic habitat, although this evolution must have run parallel with man's arrival in the wilderness. With the arrival of the vinchuca came the *Trypanosoma cruzi*, a parasite that the insect is not born with but it is likely to contract by sucking the blood of infected mammals or people. Once the vinchuca has been infected, it transmits the parasite to people and animals.

The most favourable habitat for the reproduction of vinchucas is a rural environment, mainly slum areas. Their feeding and nocturnal habits force them to remain hidden during the day, which is why in order for them to grow and reproduce they need cracks, crevices and dark spaces. They thrive in huts with roofs made of straw or a similar material and bare adobe walls.

P 18-19: Un grupo de niños de la comunidad de San Josecito Norte observa atentamente el ciclo de crecimiento de la vinchuca para aprender a reconocerla.

P 18-19: A group of children from the San Josecito Norte community examine the vinchuca growth cycle so that they can learn to recognize it.

El profesor de una escuela de la comunidad de San Josecito imparte una clase sobre Chagas a sus alumnos.

A school teacher from the San Josecito community gives his students a lesson on Chagas.

El Chagas es una enfermedad socioeconómica típica que supone un problema social y sanitario grave asociado a la pobreza.

Chagas disease is a typical socio-economic disease inseparably linked with poverty and causing serious health and social problems.

Las condiciones de habitabilidad están estrechamente relacionadas con la presencia de vinchucas y el contagio de la enfermedad.

Housing conditions are closely related to the presence of vinchucas and disease transmission.

Los principales esfuerzos en prevención
de la enfermedad se centran en el control
y erradicación del insecto transmisor.

Main efforts to prevent the disease are
centered on the control and eradication
of the transmission insect.

Control Vectorial

" El Chagas, más que una enfermedad causada por un insecto, es una consecuencia de la miseria. Hacer recaer toda la responsabilidad del control de la vinchuca en las personas que la padecen es inútil e injusto. La erradicación del vector debe tener un enfoque de salud pública y estar integrada en las políticas de lucha contra la pobreza". JANIRE CHIRAPOZU, RESPONSABLE DE CONTROL VECTORIAL DE MSF EN TARIJA.

En las casas de los más pobres anida la vinchuca. De madres de zonas endémicas, que han padecido condiciones de vida y vivienda precarias y que no han tenido acceso al tratamiento, nacen niños infectados en una proporción que oscila entre el 5 y el 9%. Otra vía de transmisión son las transfusiones de sangre que no han sido controladas con pruebas diagnósticas de laboratorio en las estructuras sanitarias.

Los principales esfuerzos en prevención de la enfermedad se centran en el control y erradicación del insecto transmisor, causante de la mayoría de los contagios. Mejorar las viviendas y los hábitos de higiene, así como aplicar programas de fumigación son las principales estrategias para eliminar la vinchuca en el ámbito doméstico. Sin embargo, continúa presente en su hábitat silvestre o reinfesta las viviendas desde otras no tratadas, por lo que la única manera de evitar que vuelva a aparecer es desarrollando un sistema comunitario e institucional de vigilancia. La vigilancia es una responsabilidad personal al procurar mantener libre de vinchucas cada casa, pero también es un modo de solidaridad con el resto de los vecinos, porque una vivienda infestada es un foco potencial de expansión de la enfermedad.

Vector Control

" Chagas is not an insect-induced disease; rather, it is the consequence of poverty. Leaving the people who are affected by the vinchucas to be responsible for their control is useless and unfair. Vector eradication must have a public health focus and form part of policies designed to fight poverty." JANIRE CHIRAPOZU, MSF OFFICIAL RESPONSIBLE FOR VECTOR CONTROL IN TARIJA.

Vinchucas make their nests in poor households. Between 5 and 9% of women from endemic areas who have suffered poor housing and living conditions, and who have had no access to medical treatment, give birth to infected children. Another form of transmission is via blood transfusions that have not been properly screened.

The main preventative efforts are centred on the control and eradication of the main source of transmission, which is via vectors. Housing improvement and health education, together with insecticide spraying programmes, are the main tools used to eliminate vinchucas from homes. However, they are still present in their natural habitat and vectors may reinfest untreated dwellings; the only way to prevent possible reinfestation is by developing a common and institutional surveillance policy. Surveillance is an individual responsibility and aims to keep every house insect-free, but it is also an expression of solidarity with other community members because an infested home is a potential source from which the disease may spread.

Mejorar las viviendas y los hábitos de higiene, así como aplicar programas de fumigación son las principales estrategias para eliminar la vinchuca en el ámbito doméstico.

Housing improvement and health education, together with insecticide spraying programmes, are the main tools used to eliminate vinchucas from homes.

Las familias sacan sus pertenencias de las casas para proceder a la fumigación de la vivienda cuando se detecta la presencia de vinchucas.

When vinchucas are detected families remove their belongings from their homes before they are fumigated.

P28-29: Interior de una vivienda de la comunidad de Sereré Sud.

P28-29: The inside of a house in the Sereré Sud community.

Una vez vacías las casas, se procede al rociado de las viviendas.

Once the houses are empty, spraying begins.

Un fumigador del Plan Nacional de Chagas entra en una vivienda para realizar un rociado.

A fumigator from the Chagas National Plan enters a house to begin spraying.

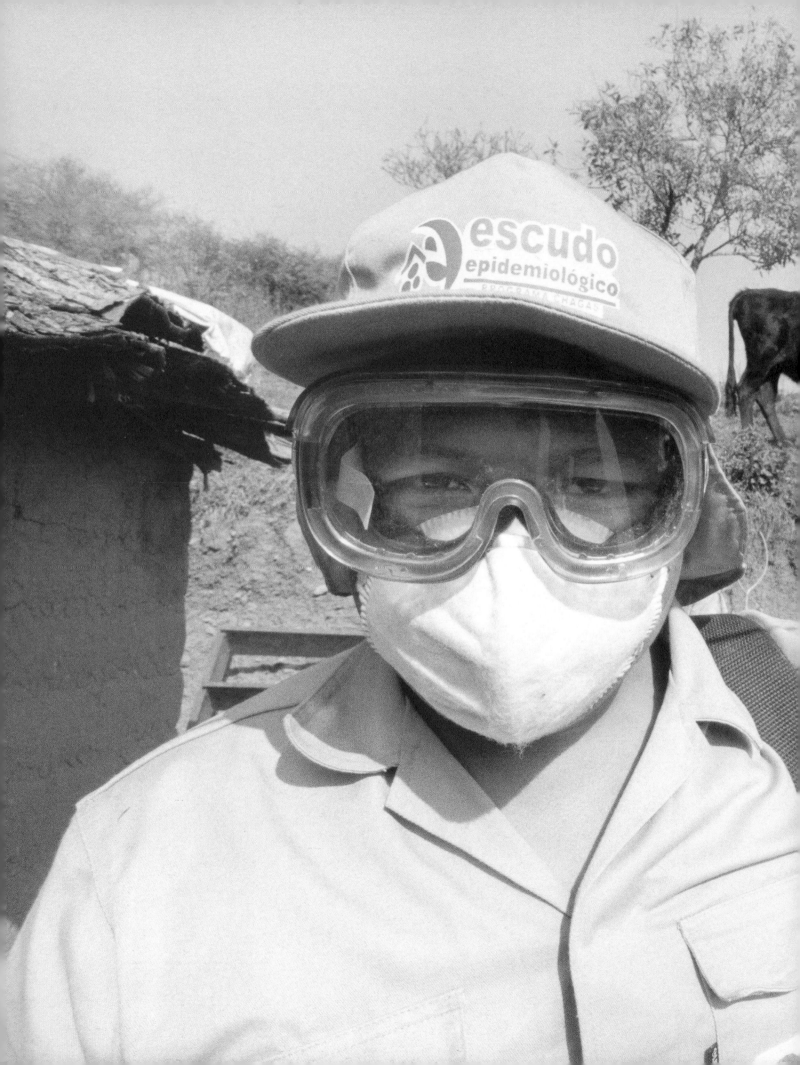

P 32-33: Fumigador del programa
ministerial de Chagas en Bolivia.

P 32-33: Fumigator from the governmental
Chagas program in Bolivia.

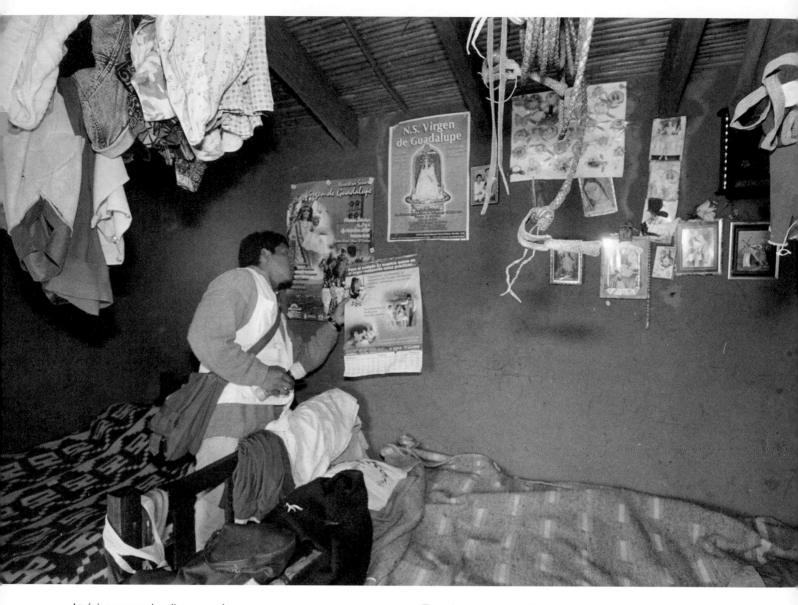

La única manera de evitar que vuelva a
aparecer la vinchuca es desarrollando
un sistema comunitario e institucional
de vigilancia.

The only way to prevent infestation or
reinfestation is to develop a common and
institutional surveillance system.

Taller sobre mejoramiento de vivienda
organizado por Cáritas-Tarija.

Workshop on housing improvement
organized by Cáritas-Tarija.

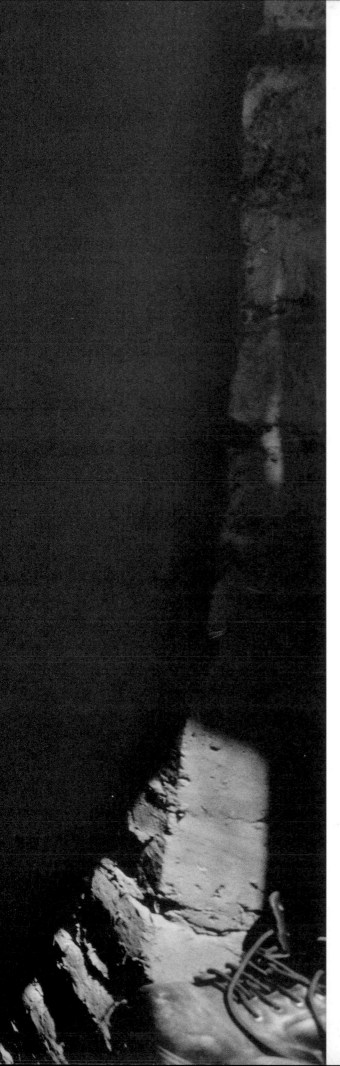

Trabajo comunitario para el
mejoramiento de viviendas
en San Josecito Centro.

Community work to improve
housing conditions in
San Josecito Centro.

Los líderes comunitarios participan
en los talleres de mejoramiento de
viviendas de su comunidad.

Community leaders take part in the
housing-improvement workshops
in their community.

Idolio Almazán

Idolio Almazán llegó hace 22 años a la comunidad de El Pescado, desde otra llamada Rosario, donde había nacido. Allí las condiciones de cobijo y vivienda eran tan precarias, que decidió marcharse y llevar a su familia a un lugar donde crece el pomelo, la caña y el maíz. Cuando la comunidad empezó a organizarse, a él le tocó ser el responsable de salud, una función para la que lo eligieron sin pararse a pensar que apenas había asistido un año al colegio y que no sabía nada de cuidados sanitarios. Desde entonces puso todo su empeño en formarse y ahora es el líder del Puesto de Información de Vinchucas (PIV) y el promotor de salud de su localidad (un grupo de 20 casas en el que el 25% de los niños están infectados de Chagas).

Durante las dos décadas que lleva viviendo en El Pescado ha visto nacer y crecer a cada uno de los pequeños. Ha apuntado en su libreta cada paludismo y diarrea que han padecido, además de la fecha de nacimiento y vacunación de todos ellos. A pesar de ser voluntario y no percibir ninguna remuneración por lo que hace, Idolio se toma en serio su trabajo y está convencido de que es importante. Cada mes, envía a la Red de Salud de O'Connor los resultados de sus pesquisas de vinchucas, ha enseñado a toda su gente qué hacer antes de cada fumigación y cómo mantener la casa para evitar que entre el insecto transmisor. En su comunidad ya no hay vinchucas y, gracias a eso, los vecinos más jóvenes de Idolio han podido ser tratados con éxito.

Idolio Almazán arrived in the El Pescado community 22 years ago after leaving his native community, a place called Rosario. Housing and shelter conditions were so poor there that he decided to leave and take his family to a place where grapefruit, sugar cane and sweetcorn grew. When the community began to organise itself, Idolio was made responsible for health issues, regardless of the fact that he had only received one year of schooling in his whole life and knew nothing about health care. Since then he has made a determined effort to receive adequate training and is now the leader of the Vinchuca Information Centre (VIC) and the health representative in his area (a group of 20 houses where 25% of the children are infected with Chagas).

Over the last two decades in El Pescado, he has seen the birth of all the children and watched them grow up. He has kept a record of every case of malaria and diarrhoea that they have suffered, plus their dates of birth and vaccination records. Although he is a volunteer and does not receive a salary for what he does, Idolio is committed to his work and is convinced of its importance. Every month he sends the results of his vinchuca search to the Health Network in O'Connor. He has also taught his people what to do before each insecticide fumigation and the prevention measures necessary to ensure that the transmission vector does not enter their homes. His community is now free of vinchucas, and thanks to this, its younger members have been successfully treated.

P 40-41: Idolio Almazán, responsable del PIV y promotor de salud de su comunidad, El Pescado.

P 40-41: Idolio Almazán, responsible for the VIC and the health representative in his community, El Pescado.

Idolio Almazán con la gorra que lo identifica
como PIV en su comunidad.

Idolio Almazán wearing the official cap that
identifies him as VIC representative in his
community.

Idolio Almazán en el camino
a su comunidad.

Idolio Almazán on the way
to his community.

Los resultados de un precario sistema de control vectorial y de insuficientes planes de mejora de viviendas son las altas tasas de infestación domiciliaria (elevado porcentaje de casas con presencia del insecto). En aquellas comunidades donde se conjugan estos factores, no sólo se multiplica el riesgo de nuevas infecciones entre sus habitantes, sino que también quedan desaconsejados por los Programas Nacionales de Chagas y los proyectos de diagnóstico y tratamiento, debido al riesgo de que el paciente tratado y curado pueda reinfectarse de nuevo.

> " Los enfermos tienen derecho a una terapia, pero un componente básico a la hora de garantizar el éxito de los tratamientos es el control vectorial".
> VÍCTOR SAÍZ, RESPONSABLE DE LOGÍSTICA DE MSF EN TARIJA.

Cuando un vecino de la comunidad atrapa una vinchuca, sabe que debe entregarla al Puesto de Información de Vinchucas (PIV), una instancia creada para mantener a la comunidad alerta y concienciada sobre la necesidad de mantenerla bajo control vectorial. Los responsables de estos puestos son voluntarios y trabajan en coordinación con el personal de salud rural (Auxiliares de Posta) que, con escasos medios, muchas veces no pueden acceder a todas las comunidades que están bajo su responsabilidad de seguimiento.

The high rate of vector-infested houses is the result of a deficient vector control system and insufficient housing improvement programmes. In communities where a combination of these factors exists, not only does the risk multiply but the development of diagnosis and treatment projects is not recommended by the National Chagas Programmes due to the risk of treated patients becoming re-infected.

> " Patients have a right to therapy, but a basic component when it comes to guaranteeing successful treatment is vector control."
> VÍCTOR SAÍZ, RESPONSIBLE FOR MSF LOGISTICS IN TARIJA.

When found, vinchucas are taken to the Vector Information Centre (Puesto de Información de Vinchucas / PIV), a unit created to keep the community alert and aware of the need for vector control. The people in charge of these centres are volunteers and work in coordination with rural health staff (Station Assistants), who are often unable to reach all of the communities under their supervision due to lack of funding.

Cuando un vecino de la comunidad atrapa una vinchuca, sabe que debe entregarla al Puesto de Información de Vinchucas, una instancia creada para mantener a la comunidad alerta.

When a community member catches a vinchuca, he knows he has to take it to the Vinchuca Information Center, a unit created to keep the community alert.

Información, educación y comunicación

Es necesario que las familias que viven en contacto con el mal de Chagas, además de conocerlo, sientan la necesidad de prevenirlo y vean la importancia de poder diagnosticar y tratar a sus hijos, a pesar de no tener síntomas o signos visibles de la enfermedad. Para ello, un primer paso es informarles sobre cuáles son las causas, qué consecuencias puede tener en el futuro y cómo puede evolucionar. Hablar con la comunidad es un paso previo a cualquier actividad sanitaria. Es fundamental que sientan que combatir el Chagas es una responsabilidad de todos y un compromiso común. El reconocimiento, la aceptación y participación de los líderes comunitarios es fundamental.

Information, education and communication

It is essential that the families who live in contact with Chagas disease, are not only aware of its existence, but also feel the need to prevent it and understand the importance of diagnosis and treatment for their children, even when there are no visible signs of the disease. In order to achieve this, the first step is to inform them of its causes, its possible consequences, and how it can develop. Talking with the community is prior to any health initiative being taken. It is vital that they feel that the fight to combat Chagas is a global responsibility and a common goal. The recognition, acceptance and participation of community leaders is fundamental.

Curso de información, educación y comunicación en la comunidad de El Pescado.

Information, education and communication course in the El Pescado community.

MSF informa a la comunidad sobre cuáles son las
causas del Chagas, las consecuencias que puede
tener en el futuro y la evolución de la enfermedad.

MSF informs the community of the causes of
Chagas, its future consequences and how
the disease develops.

Un miembro del equipo de MSF explica a los líderes comunitarios los resultados de los análisis de Chagas realizados a los niños de la comunidad de El Pescado.

A member of the MSF team explains to community leaders the results of the Chagas tests carried out on children in the El Pescado community.

Es necesario que las familias que viven en contacto con el mal de Chagas vean la importancia de poder diagnosticar y tratar a sus hijos, a pesar de no tener síntomas o signos visibles de la enfermedad.

It is essential that the families who live in contact with Chagas disease understand the importance of diagnosis and treatment for their children, even when there are no symptoms or visible signs of the disease.

49

Gloria Terceros

Gloria Terceros es corregidora de

Timboy, uno de los lugares con más alta presencia de vin-chucas de toda la Provincia de O'Connor. Hay pocas mujeres que asumen esa responsabilidad y ninguna en una localidad tan poblada. Ella vive su cargo, electivo y no remunerado, como un honor y un deber, una demostración de confianza mutua entre ella y su comunidad.

Hace casi dos años, se quedó viuda y a cargo de sus tres hijas que cursan estudios universitarios. Su marido falleció de "muerte súbita", un accidente cardíaco que en Bolivia se asocia al Chagas y que cada año se repite en miles de pacientes. Gloria debería hacerse la prueba diagnóstica pero no se atreve, dice que tiene miedo y que lo ve inútil, sabiendo que no habría tratamiento para ella. Sin embargo, está convencida de que la oportunidad de curar a los más jóvenes es única y que las autoridades están obligadas a poner todo el esfuerzo para conseguir que las vinchucas desaparezcan de su comunidad y así se puedan iniciar los tratamientos.

Entre los problemas de su gente, prioriza la salud y, dentro de ella, la enfermedad de Chagas, de la que hasta hace poco no habían oído hablar. En estos años, han llegado a entender el riesgo al que han estado sometidos durante toda su vida y luchan por mejorar la calidad de sus viviendas, aunque a veces se sientan solos y les falte apoyo. "Aún queda mucho por hacer", afirma Gloria.

Gloria Terceros is the mayoress of Timboy,

an area with one of the highest concentrations of vinchucas in the O'Connor province. Few women have taken on this responsibility and none in such a highly-populated district. She regards her job, elective and unpaid, as an honour and a duty; a sign of the mutual trust between her and her community.

She was widowed almost two years ago and since then has had the full responsibility of bringing up her three undergraduate daughters. Her husband died of "sudden death", a heart failure that is associated with Chagas in Bolivia, and which kills thousands of patients every year. Gloria should go for her diagnostic test but she doesn't dare. She says she is afraid and considers it useless, knowing there will be no treatment for her. However, she is convinced that this is the sole opportunity to cure the younger members of the community and believes that the authorities have the obligation to rid it of vinchucas in order for a treatment program to begin.

Amongst her community's problems, she prioritises health, and within that bracket, Chagas disease, which until recently they had never heard of. Over the last few years they have come to understand the danger they have been exposed to throughout their lives. They now struggle to improve their housing conditions despite sometimes feeling a lack of support, as Gloria confirms, "We've still got a long way to go".

P 52-53: Gloria Terceros, corregidora de la comunidad de Timboy, acompañada del líder Mburuvicha, (autoridad tradicional guaraní).

P 52-53: Gloria Terceros, mayoress of the Timboy community, together with the Mburuvicha leader (traditional Guarani authority).

Gloria Terceros perdió a su marido víctima del Chagas. Ahora ella prefiere desconocer si está enferma ante las dificultades del tratamiento en adultos.

Gloria Terceros lost her husband to Chagas and given the treatment difficulties in adults, she herself would rather not know if she has the disease.

Las comunidades a las que se
intenta acceder para diagnosticar y tratar a los menores están muy alejadas entre sí y las vías de comunicación son muy precarias. Tampoco existen medios de difusión que lleguen a la mayoría de las poblaciones, por lo que el trabajo de educación sanitaria e información lo realizan directamente los equipos de MSF, recorriendo regularmente cada localidad. La mayoría de las veces, los enfermos y sus familias tienen que caminar durante horas para poder recibir el tratamiento en los puntos de referencia adonde llegan los sanitarios. Semejante esfuerzo sólo se afronta cuando existe una fuerte motivación, algo que sólo es posible mediante un trabajo de sensibilización previa con la población.

" Es inconcebible resignarse a la inacción. Los niños y sus familias nos demuestran día a día que tienen enormes deseos de curarse, de liberarse de esta enfermedad".
FERNANDO PARREÑO, MÉDICO PEDIATRA DE MSF EN TARIJA.

El tratamiento no inmuniza. Tratar a un paciente no es vacunarlo. Se le puede curar, pero volverá a infectarse si una vinchuca le transmite el parásito con posterioridad a la finalización del mismo. Por ello, no sólo son necesarias medidas inmediatas como el control y eliminación de la vinchuca, sino complementarlas con otras a medio y largo plazo que consoliden y mantengan este logro. La responsabilidad gubernamental no se puede soslayar, pero no es exclusiva; es preciso dotar a los beneficiarios de herramientas que les permitan prevenir la presencia de la vinchuca, incluso cambiando algunos hábitos muy arraigados.

Access to communities where
children need diagnosis and treatment is difficult due to the great distances between villages and poor communication links; neither are there any broadcasting facilities in the majority of towns. Therefore, health education and information work is done by MSF teams, who regularly travel to every community. Most of the time, patients and their families have to walk for hours to receive treatment at set reference points where health staff are stationed. Such a huge effort needs strong motivation, something that comes as a result of raising awareness amongst the population.

" It is inconceivable to give in to inaction. On a daily basis the children and their families show us their great desire to be cured, to shake off this disease."
FERNANDO PARREÑO, AN MSF PAEDIATRICIAN IN TARIJA.

Treatment does not create immunity to the disease. To treat a patient is not the same as vaccination. Patients can be cured but they will be reinfected if a vinchuca transmits the parasite after treatment is finished. That is why short-term measures such as the control and elimination of vinchucas are not enough; if this initial achievement is to be sustained and consolidated, complimentary mid- and long-term measures are necessary. Governmental responsibility can not be denied, but it does not end there; it is essential to provide patients with the necessary means and information to enable them to keep vinchucas away from their homes, even if that means changing deep-rooted customs.

P 56-57: Camino de la escuela
en la comunidad de El Pescado.

P 56-57: On the way to school in the
El Pescado community.

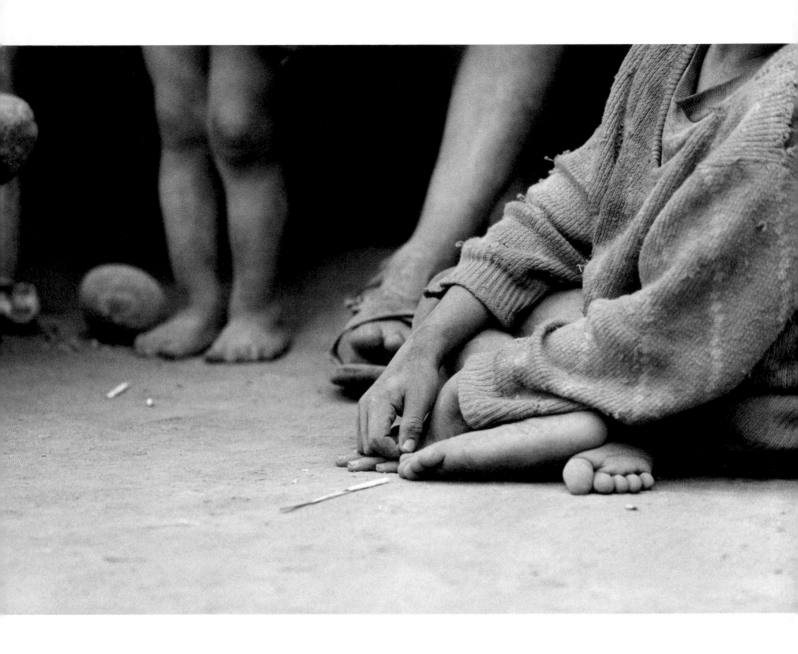

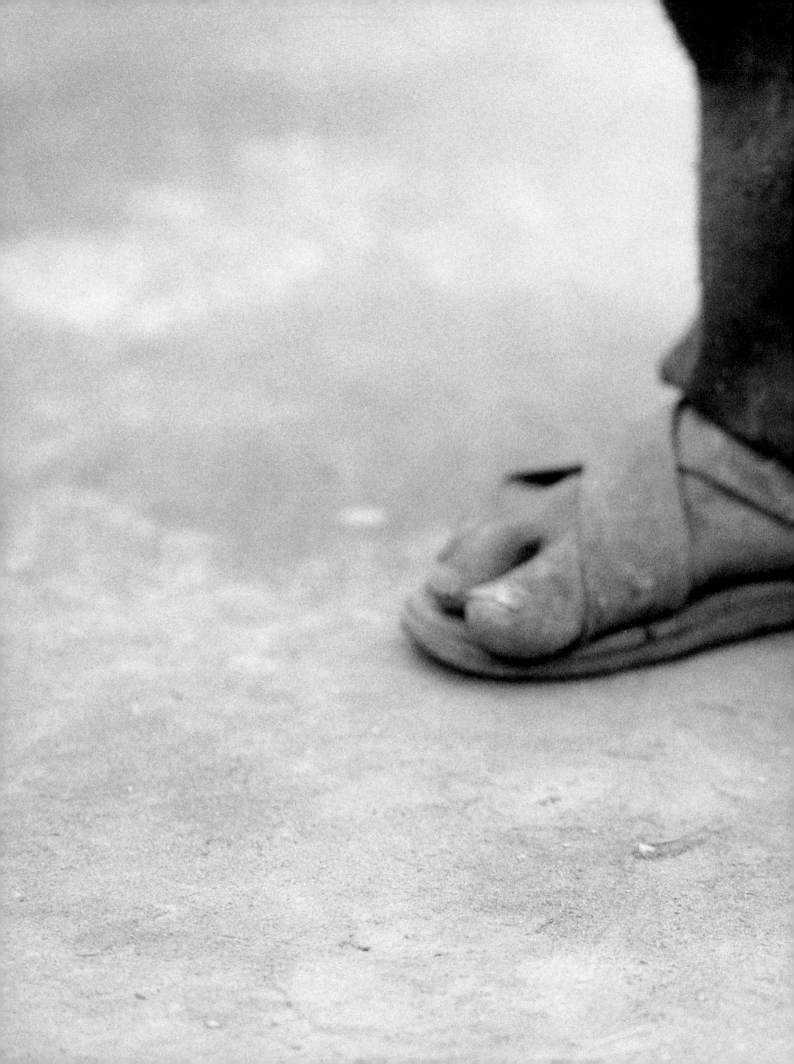

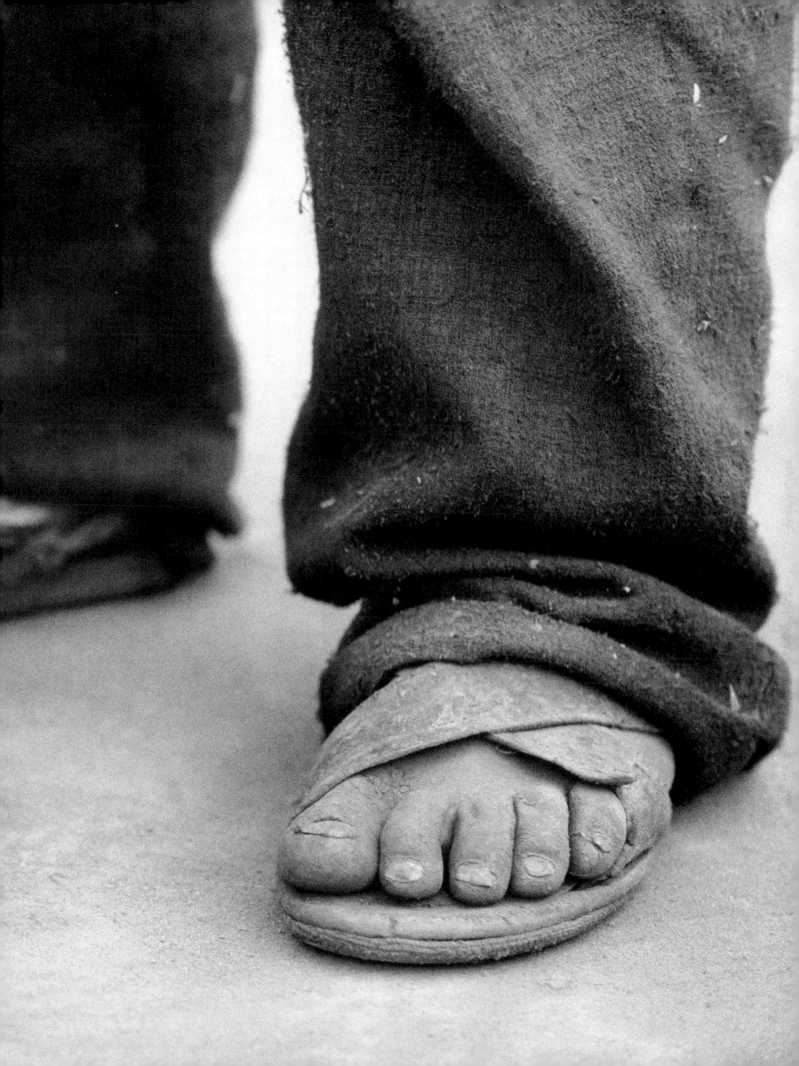

Diagnóstico y tratamiento

" Diagnosticar a un infectado de Chagas antes de la aparición de lesiones cardíacas o digestivas requiere de una búsqueda activa del paciente. La mayoría de los enfermos ni siquiera sospechan que lo están y casi todos se sienten sanos y fuertes. ¿Para qué van a acudir a un centro de salud si nada les indica que puedan padecer la enfermedad? Cuando lo hacen, suele ser tarde".
JULIO URÍZAR, BIOQUÍMICO DE MSF EN TARIJA.

Para tratar a un enfermo, el primer requisito es diagnosticarlo. La mayoría de los afectados por Chagas, desconocen que están infectados. Muchos mueren a causa de esta enfermedad sin llegar a saber que la padecieron. Diagnosticar el Chagas es posible, aunque se requieren técnicas de laboratorio que hasta ahora resultan inalcanzables en muchos lugares, principalmente por la falta de voluntad política y de dotación presupuestaria, tanto de las autoridades nacionales como de organismos internacionales.

La enfermedad se desarrolla según una sucesión de fases. La primera es inmediatamente posterior a la infección por picadura de la vinchuca y apenas dura unas semanas. Los signos que se observan en el paciente durante este corto período son muy inespecíficos: episodios febriles, malestar general y falta de apetito, entre otros, y muy pocos los asocian al Chagas. A pesar de que en esta fase es posible observar el parásito en sangre, al no haber sospecha diagnóstica, casi nadie se somete a un análisis directo por microscopio. Poco después, esos síntomas desaparecen y la vida de los ya infectados retorna a la normalidad.

Unas semanas después del contagio, el parásito deja ser visible por microscopio. La siguiente fase puede prolongarse durante décadas y se conoce como "indeterminada crónica". El único diagnóstico que puede confirmar la infección consiste en la medición de anticuerpos, para lo que es necesario tomar una muestra de sangre y la realización de técnicas de laboratorio más complejas (serología). Para confirmar la infección, es preciso que el análisis arroje un resultado positivo en dos pruebas diferentes de serología convencional. En caso de discrepancia entre ambas (es decir, una negativa y otra positiva), se debe hacer una tercera. Los síntomas son en este período casi imperceptibles, aunque se comienza a constatar el deterioro de órganos vitales y un cuarto de los infectados acaba desarrollando daños irreversibles (cardíacos, de esófago o de colon).

Además del riesgo de muerte que conlleva, durante esta fase, la enfermedad tiene efectos debilitantes para el paciente. Su capacidad de trabajo se ve muy disminuida y el coste económico de su atención aumenta, de modo que, para las familias y los sistemas públicos de salud de los países pobres, la carga se hace insostenible.

Diagnosis and treatment

" Diagnosing an infected Chagas patient before cardiac or digestive dysfunction appears requires an active search. Most patients do not even suspect their condition and most of them feel strong and healthy. Why would they come forward for Chagas tests if they do not have any symptoms? When they do, it is usually too late."
JULIO URÍZAR, MSF BIOCHEMIST IN TARIJA.

The first step to treating a patient is diagnosis. Most people afflicted with Chagas disease whether in the O'Connor province are unaware that they are ill. Many of them die of the disease without even knowing they had it. Diagnosis is possible, but requires laboratory tests which, until now, have been unattainable in many places. This is largely due to a lack of both political inclination and budget allocation by both the national authorities and international organizations.

The development of Chagas can be seen in phases. The first phase appears shortly after infection from a vinchuca bite and lasts only a few weeks. Observed symptoms during this short stage are very unspecific: fever, general malaise and loss of appetite, amongst others. Very few people associate these symptoms with Chagas disease. Although the parasite can be blood-screened during this stage, hardly anyone considers a direct microscopic examination as there is no suspicion of a positive diagnosis. Symptoms disappear shortly afterwards and carriers´ lives go back to normal.

Some weeks after transmission, the parasite is no longer detectable through a microscope. The next stage can continue for decades and is generally known as "chronic indeterminate". From this point on the only reliable diagnosis method capable of detecting the presence of the infection consists of measuring the level of antibodies in the blood. This requires a more complex laboratory analysis of blood samples (serology). To confirm infection, two conventional serology lab tests must be carried, out, both of which must prove positive. In the case of doubt (a positive and a negative result) a third test must be carried out. Symptoms during this phase are unperceivable, although vital organ damage begins to be observed, and a quarter of the infected end up developing irreversible damage to the heart, oesophagus and colon.

Apart from the risk of death, the disease has weakening effects on patients during this stage. Their capacity to work is severely reduced whilst the cost of their treatment rises. The consequence is a burden that neither the families nor the public health systems of poor countries can bear.

Para tratar a un enfermo, el primer requisito es diagnosticarlo. La mayoría de los afectados por Chagas desconocen que están infectados.

The first step to treating a patient is diagnosis. Most people afflicted with Chagas disease are unaware that they are infected.

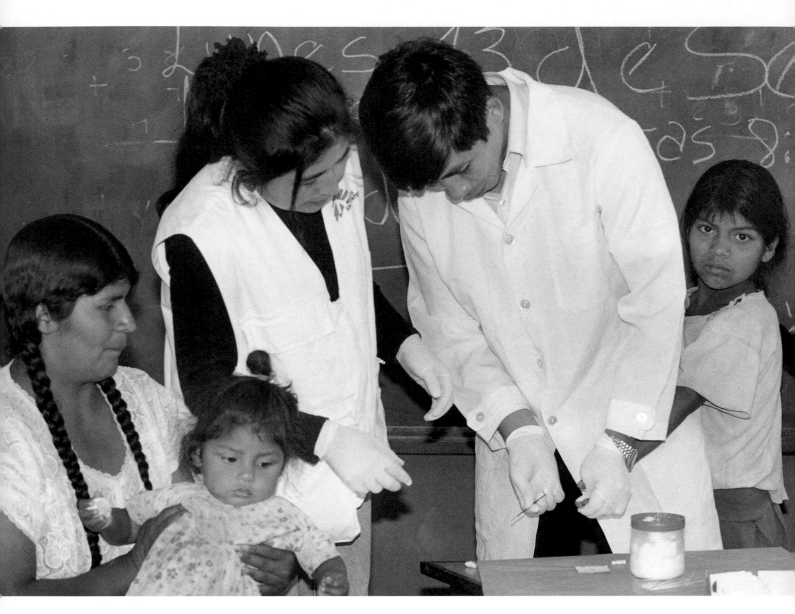

Miembros del equipo de MSF trabajan
conjuntamente con profesionales locales
en las extracciones de sangre para la
realización de los test diagnósticos
de Chagas.

MSF team members work together with local
professionals taking blood samples for the
Chagas diagnostic tests.

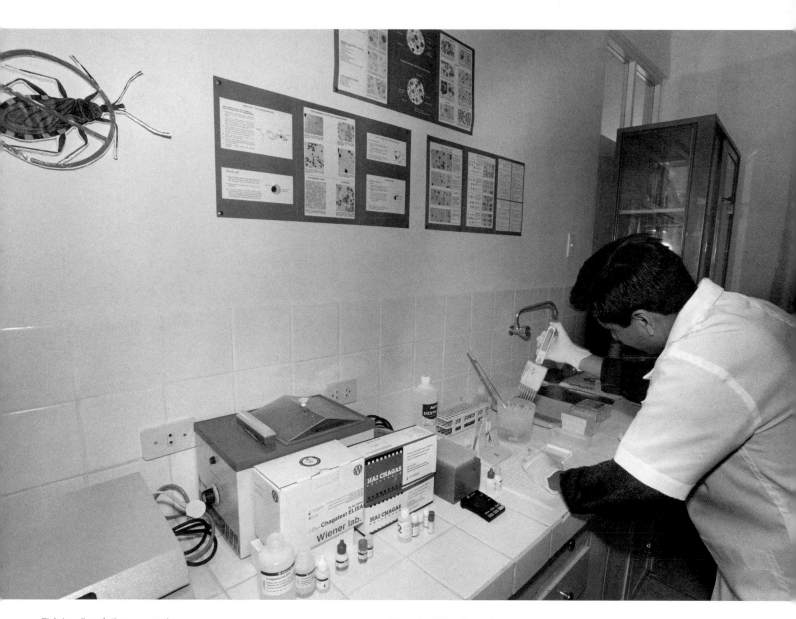

El único diagnóstico que puede
confirmar la infección consiste en
la medición de anticuerpos.

The only reliable diagnosis method
capable of detecting the presence of the
infection consists of measuring the level
of antibodies in the blood.

Luis Arevayo no es mal estudiante, pero

en la pasada evaluación suspendió dos asignaturas. Todos en casa piensan que se debe a Haydée, esa vecinita con la que queda a veces para pasear por el río.

Luis tiene 13 años y fue diagnosticado de Chagas en 2002, cuando apenas tenía 11. Desde entonces está esperando el tratamiento para la enfermedad; aún no ha podido iniciarlo a causa de la alta tasa de infestación de su comunidad, Ñaurenda, la mayor localidad guaraní de la provincia. Para comenzar una terapia a cargo del Programa Nacional de Chagas (gratuito para menores de cinco años), uno de los criterios exigidos a nivel nacional es que menos del 3% de las casas registren la presencia de vinchucas. Este criterio viene impuesto para disminuir el riesgo de reinfección, algo que no ocurrirá mientras las mismas autoridades no destinen esfuerzos y cumplan sus compromisos de fumigación y programas integrales que contemplen medidas preventivas. Cualquier otra alternativa de diagnóstico y tratamiento fuera de un programa gratuito, que implicase comprar la medicación, acudir al médico privado, desplazamientos a Tarija, etc. sería imposible para él.

Luis y su familia esperan que la tasa de infestación se reduzca para entrar en los criterios de inclusión del programa, aún sabiendo que, cada año que pasa, la efectividad del tratamiento podría disminuir para él y aumentar el riesgo de padecer reacciones adversas. Su hermano, que estudia medicina en la capital, le insiste en que se traslade a otro lugar donde una menor presencia de vinchucas le garantice realizar la terapia con éxito. Luis se lo piensa, no quiere esperar sentado...

" El derecho a la salud es universal, no puede limitarse a quienes aún no están enfermos. Si la medicina se olvida de los que ya están contagiados, estamos traicionándolos a ellos pero también a nosotros mismos."
DIEGO RINALDI, RESPONSABLE MÉDICO DE MSF EN TARIJA.

Luis Arevayo is not a bad student, but he

failed two subjects in last term's assessments. Everyone in his house puts it down to Haydée, that pretty neighbour of his he sometimes meets for a stroll by the river.

Luis is 13 years old and was diagnosed with Chagas in 2002, when he was only 11. He has been waiting for treatment for his disease ever since. He has not yet received treatment because of the high vector infestation rate in his community, Ñaurenda, the province's largest Guarani community. To be admitted for treatment on the National Chagas Program (free for children under 5), one of the requirements at national level is for less than 3% of houses to be infested. This demand is imposed to reduce the risk of reinfection. However, unless the same authorities make a determined effort to keep their promises as regards fumigation and integral programmes which include preventive measures, this badly needed reduction will not happen. Alternative therapy outside the free program, which would imply buying the medication, consulting a private doctor, travelling to Tarija on a regular basis, etc., would be impossible for Luis.

He and his family are waiting for the infestation rate to go down so that Luis can be admitted to the program, but they are aware that with every passing year the effectiveness of the treatment could be reduced for him and the risk of suffering side effects increased. His brother, a medical student in the capital city, insists that he should move somewhere where vinchucas are less widespread to ensure successful treatment. Luis has not made up his mind yet, he does not want to sit around and wait…

" Access to health care is a universal right; it cannot be restricted to those who are not yet ill. If medicine neglects those who are infected, we are not only betraying them but also ourselves."
DIEGO RINALDI, MSF DOCTOR IN TARIJA.

P 66-67: Luis Arevayo tiene 13 años, vive en la comunidad de Ñaurenda y le han diagnosticado Mal de Chagas.

P 66-67: Luis is 13 years old, he lives in the Ñaurenda community and has been diagnosed with Chagas disease.

Luis Arevayo junto a su familia en
su casa de Ñaurenda.

Luis Arevayo together with his family
at his house in Ñaurenda.

Hasta hace muy poco

tiempo, la mayoría de los especialistas y responsables sanitarios de América Latina se mostraban reacios a iniciar programas públicos de tratamiento de Chagas. Según ellos, su responsabilidad terminaba en la prevención. El argumento se basaba en que los medicamentos actualmente en uso tenían escasa eficacia curativa y añadían que los efectos secundarios de la terapia suponían un riesgo demasiado elevado y que la proliferación de vinchucas causaría muchas reinfecciones en pacientes curados. Aunque alguno de estos temores es comprensible, otros nunca han sido impedimento para dejar de tratar patologías como el paludismo o el VIH/SIDA. Perdidas en debates técnicos, las autoridades de salud obviaban lo esencial: el derecho de los enfermos a ser diagnosticados y recibir tratamiento y escondían la falta de interés por unos enfermos mayoritariamente pobres, habitantes de las zonas más desfavorecidas del continente y con nula capacidad de presión política.

Son muy pocos los países preocupados por identificar y tratar a los infectados y, cuando lo hacen, únicamente se ocupan de los menores de cinco años o, a lo sumo, hasta los 15. Y todo ello a pesar de que la OMS/OPS recomienda, desde 1999, el tratamiento de pacientes crónicos tardíos (más de 10 años desde el momento de la infección) e incluso va más allá, afirmando que no existe límite de edad para indicar el tratamiento (OPS/HCP/HCT/140/99).

Until recently, most specialists and health

authorities in Latin America were reluctant to implement public health programmes to treat Chagas. They considered their responsibility to end with prevention. They argued that the medication in use at the time had little curative efficacy. They also claimed that the risks of the treatments' side effects were too high, and that the prevalence of vinchucas would cause too many reinfections in cured patients. Some of these fears are understandable, others however, have never been an obstacle when it comes to treating pathologies such as malaria or HIV/AIDS. Lost in technical debates, health authorities overlooked the main point: a patient's right to be diagnosed and to receive treatment. At the same time they covered up a clear lack of interest for a group of ill people, the majority of whom were poor, from some of the most underprivileged areas of the continent and with no political voice.

Very few countries are concerned with identifying and treating those infected, and when they do, they only deal with children under the age of five or, at most, up to the age of 15. This is despite the WHO/PAHO recommendation, made in 1999, stating that tardive chronic patients (those infected for more than ten years) should be treated and also affirming that there is no age limit for treatment. (PAHO/ HCP/HCT/140/99)

Calle principal de la comunidad de
San Josecito Centro.

Main street in the San Josecito
Centro community.

José Álvarez

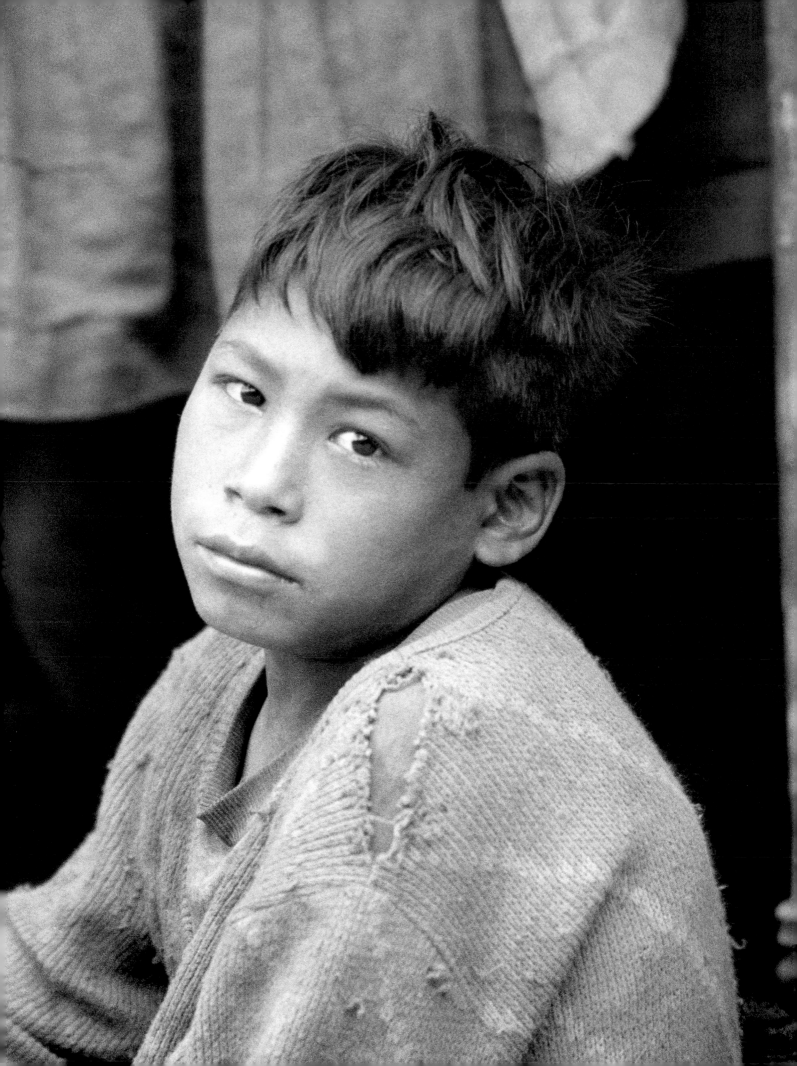

José Álvarez ha cumplido 11 años, tiene cuatro hermanos y todos viven en El Pescado, una de las comunidades más inaccesibles y pobres del Departamento de Tarija. Para que un equipo sanitario llegue allí, hay que caminar más de cuatro horas desde el río, al que se llega tras cinco horas en coche desde la ciudad.

Como a sus otros hermanos, a José le han diagnosticado Chagas este año, algo que le hace parecerse a otros pequeños de su comunidad. Sin embargo él no es igual; es el único que no puede jugar ni levantarse ni asistir a la escuela. José es minusválido desde que nació y, para diagnosticarlo y poder tratarlo, su padre tuvo que llevarlo en brazos durante horas y él mismo llegó gateando hasta la casa donde se hacen los controles de tratamiento. Éste es el esfuerzo que han debido hacer José y su familia. De otra forma, ni él ni sus hermanos hubieran podido tratarse. El precio del *benznidazol* resulta inalcanzable para ellos y no existe ningún programa gubernamental que los cubra. MSF les proporcionó medicación gratuita y ellos aportaron todas sus ganas.

José ha terminado la terapia y, por primera vez en su vida, lo ha visto un médico. En su casa ya no hay vinchucas y en las de sus vecinos tampoco. Dentro de un año, lo volverán a llevar a la vivienda del líder de la comunidad para que le repitan la prueba y le confirmen si se ha curado.

José Álvarez is 11. He has four brothers and sisters, they all live in El Pescado, one of the most inaccessible and poorest communities in the Department of Tarija. For a health team to get there it takes a four-hour walk from the river, which in turn is a five-hour drive from the city.

José and his brothers and sisters have been diagnosed with Chagas this year, something he has in common with the other children in his community. However, he is not like them; he is the only one who can't play or walk or attend school. José was born disabled so his father carried him for hours to the centre where he could be diagnosed and treated. He himself crawled his way into the house where treatment controls are carried out. This is the effort José and his family had to make. Otherwise, neither he nor his brothers and sisters could have had access to therapy. They cannot afford to pay for *benznidazole* and there is no government program that covers them. MSF provided them with free medicine and they contributed their great determination and enthusiasm.

José has finished his therapy and has been seen by a doctor for the first time. There are no vinchucas in his or in his neighbours´ houses any more. In a year's time, he will be taken to the community leader's house for a repeat test and confirmation that he has been cured.

P 72-73: José Álvarez tiene 11 años y sufre una discapacidad que no le permite caminar. Él y sus cuatro hermanos padecen el mal de Chagas.

P 72-73: José Álvarez is 11 years old, he is disabled and unable to walk. He and his four brothers and sisters suffer from Chagas disease.

Gabriel Sánchez, coordinador de terreno de MSF, explica a José las dosis y horarios para tomar el tratamiento.

Gabriel Sánchez, MSF field coordinator, explains to José the correct dosage and times to take his medicine.

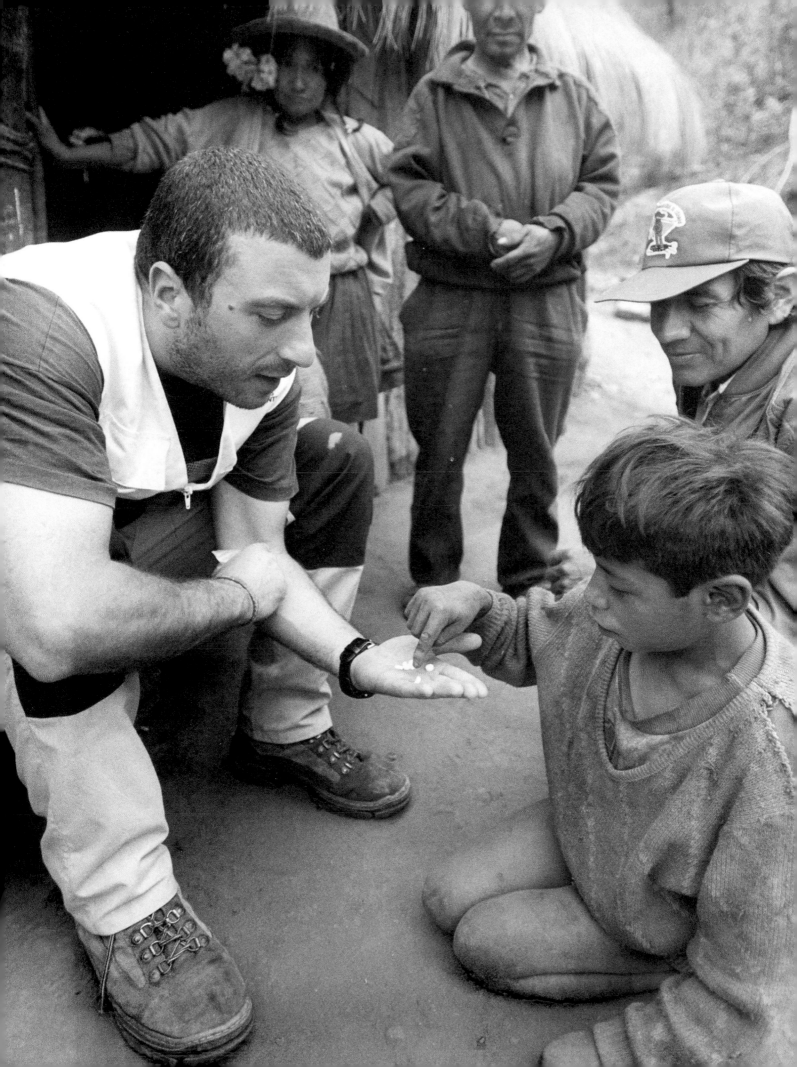

Los enfermos se hallan en zonas aisladas y sin medios de transporte, lo que dificulta y encarece los programas de diagnóstico y tratamiento.

Patients live in isolated areas and have no means of transport, which makes diagnostic and treatment programs more difficult and more expensive.

Otra dificultad que hay que afrontar en

las áreas rurales es el componente logístico: los enfermos se hallan en zonas aisladas y sin medios de transporte, lo que dificulta y encarece los programas de diagnóstico y tratamiento. Además, y a pesar de que entre la población infantil es donde el éxito de tratamiento es mayor, siguen sin estar disponibles ni dosis ni presentaciones pediátricas, lo que constituye uno de los obstáculos para la generalización del tratamiento en menores. Pero, sin duda, el problema principal es la falta de acceso general al *nifurtimox* y al *benznidazol*.

Poner en marcha un programa de tratamiento de Chagas tiene sus dificultades, pero se ha demostrado como una opción posible, perfectamente viable y la única alternativa esperanzadora para las personas ya infectadas.

Another difficulty that needs addressing

is the logistics problem in rural areas: patients live in isolated areas and have no means of transport, which makes diagnostic and treatment programs more difficult and more expensive. In addition, although treatment success is highest amongst children, there is still no paediatric dose or formula available. This is another setback in the mainstreaming of treatment amongst children. However, the greatest problem is without doubt the lack of general access to *nifurtimox* and *benznidazole*.

Running a program to treat Chagas has its difficulties, but it has been proved to be a perfectly feasible option and the only alternative offering hope to those who already suffer from the disease.

Los enfermos y sus familias tienen que caminar durante horas para poder recibir el tratamiento en los lugares adonde llegan los sanitarios.

Patients and their families have to walk for hours to receive treatment at set reference points where health staff are stationed.

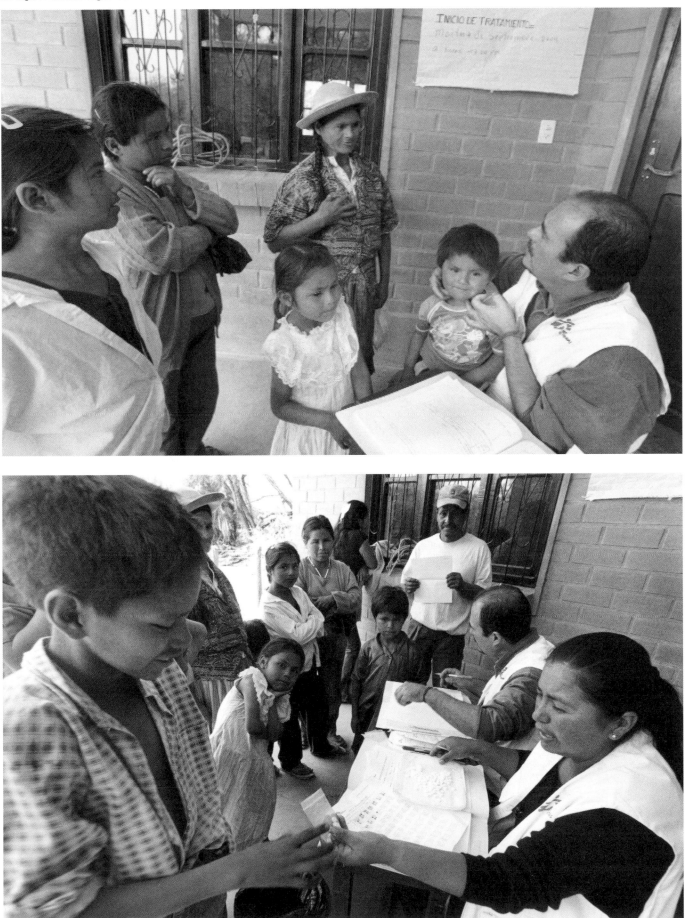

El tratamiento no inmuniza. Tratar a un paciente no es lo mismo que vacunarlo.

Treatment does not create immunity to the disease. To treat a patient is not the same as a vaccination.

Investigación y desarrollo

La enfermedad de Chagas ha estado ausente durante décadas de los programas de investigación y desarrollo (I+D) de nuevos fármacos emprendidos por las grandes empresas farmacéuticas. Los únicos medicamentos efectivos para su tratamiento, *benznidazol* y *nifurtimox*, son los mismos que se utilizan desde hace 30 años.

El laboratorio que produce *nifurtimox* ha dejado de comercializarlo y sólo suministra donaciones en cantidades limitadas. La argumentación de la industria farmacéutica es que, dada la escasa demanda, no se justifica su producción ni su distribución y mucho menos interesa iniciar programas de investigación de nuevas moléculas. Tampoco las empresas de genéricos se han mostrado interesadas en asumir su producción y garantizar su abastecimiento. Ante la evidencia de que el acceso de los pacientes a los dos únicos medicamentos posibles para tratar el Chagas estaba y sigue estando en peligro, unos pocos Ministerios de Salud latinoamericanos y agencias internacionales como OMS/OPS, con el apoyo de ONG como Médicos Sin Fronteras, lideraron una iniciativa común reclamando una política de precios equitativos, garantías de producción, dosis y formulaciones pediátricas y abastecimiento sostenible.

Al contrario de otros colectivos, como el de los afectados por el VIH y sus familiares, los enfermos de Chagas no reclaman su derecho a atención médica, diagnóstico y tratamiento adecuados. Difícilmente podrán unirse, cuando ni siquiera saben a ciencia cierta cuántos son ni se emprenden campañas sistemáticas de búsqueda activa de infectados.

Research and development

For decades now Chagas disease has not been included in the new drugs research and development programs undertaken by the big pharmaceutical companies. The only effective treatments are *nifurtimox* and *benznidazole*, the same drugs that have been used for the last 30 years.

The laboratory manufacturing *nifurtimox* has stopped marketing the drug and only donates supplies in limited quantities. The pharmaceutical industry claims that neither production nor distribution of the drug can be justified on the grounds of low demand; and the development of programs to research new molecules is even less attractive to them. Neither have the generic drug companies shown any interest in taking over its production or securing its supply. The fact that patients´ access to the only two possible drugs to treat Chagas was and still is endangered, prompted some Latin American Health Ministries and international agencies like WHO/PAHO, with the support of NGOs like MSF, to lead a common initiative demanding an equitable pricing policy, production guarantees, paediatric doses and formulas, and a sustainable supply.

Unlike other groups such as the HIV affected and their relatives, Chagas patients do not demand their right to medical attention, diagnostics or adequate treatment. The likelihood of them uniting forces is remote since they do not even know for certain how many they are, and no systematic tracking campaigns have been undertaken.

La enfermedad de Chagas ha estado
ausente durante décadas de los programas
de investigación y desarrollo.

Chagas disease has been absent
from research and development
programs for decades.

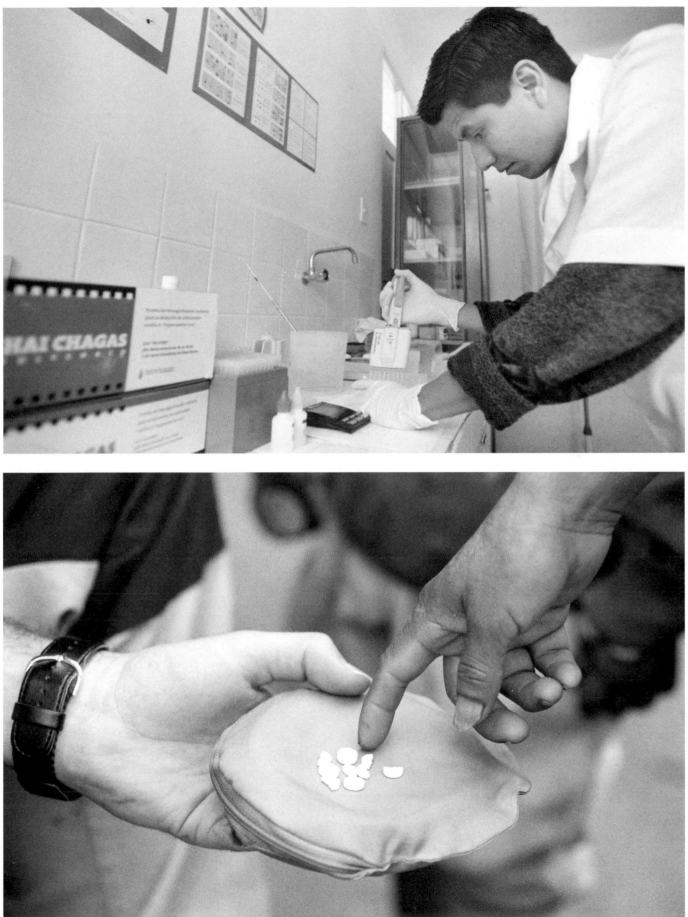

Los únicos medicamentos efectivos para el tratamiento del
Chagas, benznidazol y nifurtimox, son los mismos que se
utilizan desde hace 30 años.

The only effective treatments for Chagas, *nifurtimox* and
benznidazole, are the same drugs that have been used
for the last 30 years.

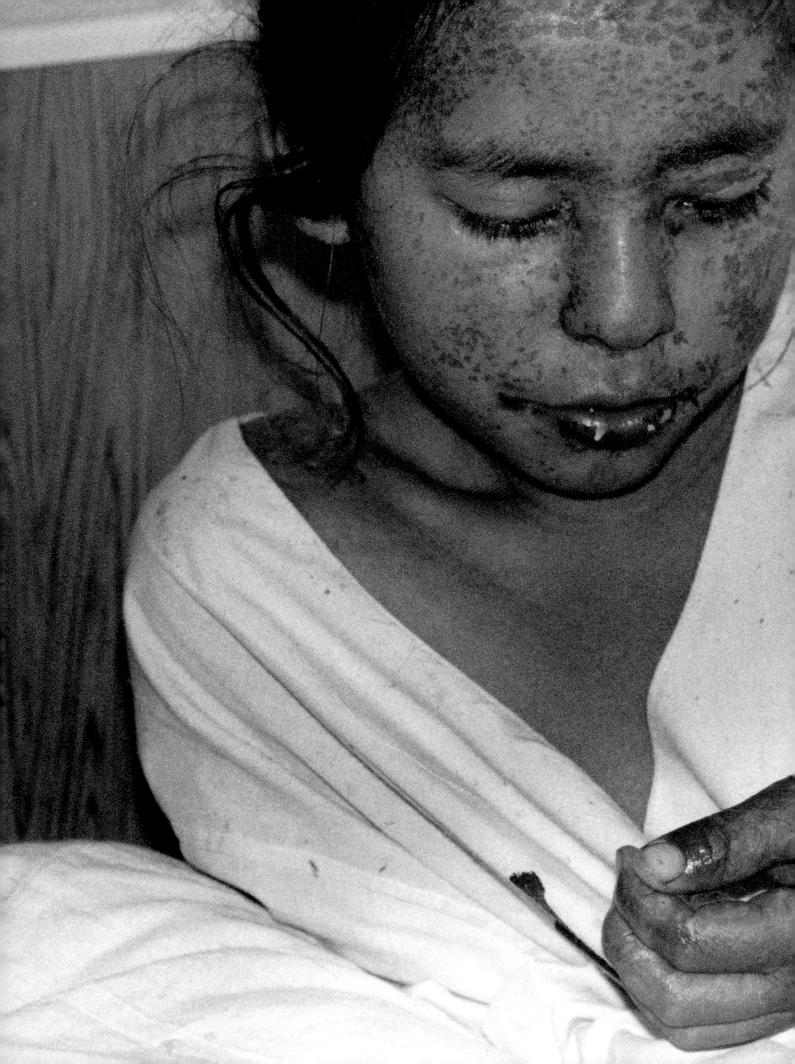

Dorita Barrientos

Dorita Barrientos vive en Sivingal.

Un domingo, cuando ayudaba a recoger las arvejas a su familia, empezó a sentirse mal. El sol le quemaba la piel, pero ella seguía trabajando; el camión que lleva a su madre a vender las verduras salía temprano y la cosecha anual de leguminosas es la que aporta más ingresos a su casa.

El lunes por la mañana, cuando llevaba tres semanas de tratamiento con *benznidazol*, su rostro empezó a llenarse de ampollas y se le hacía difícil tragar porque tenía la boca hinchada. El martes llegó el equipo de MSF para el seguimiento semanal y vieron claro que era preciso ingresarla en un hospital porque, al igual que en el único caso precedente (ocurrido el año anterior a Grecia Cayetano, una niña de otra comunidad también bajo seguimiento de MSF), se le había declarado una necrólisis epidérmica tóxica, la más grave reacción cutánea al tratamiento que se puede registrar. Cuando esto ocurre, el riesgo de deshidratación es inminente y uno de cada cuatro afectados puede morir.

Dorita y su familia tenían miedo. En la comunidad, todos seguían los acontecimientos: un carro se estaba llevando a una de sus niñas a Tarija y sabían que la causa de que la piel se le cayese a tiras eran las pastillas que otros chicos de Sivingal también estaban tomando.

Tras una semana en el hospital, Dorita se encuentra mejor. Ya no tiene marcas en la cara ni en los brazos y pies. Después de 21 días de tratamiento con *benznidazol*, tuvo que suspenderlo, pero lo volverá a intentar con *nifurtimox*, el segundo fármaco que puede utilizarse para tratar el Chagas. Alrededor de un 20% de los pacientes padece efectos secundarios con la medicación, aunque en la inmensa mayoría de los casos, especialmente en menores, las reacciones adversas son leves y perfectamente combatibles con medicamentos de uso corriente. Dorita tiene 11 años y toda la vida por delante.

Dorita tuvo una segunda oportunidad porque estaba en un programa de MSF que podía administrarle *nifurtimox*. Sin embargo, en algunos países sólo hay un fármaco incluído en el protocolo nacional de tratamiento, cuando lo aconsejable sería disponer de ambos fármacos en todos los países como recomienda la OPS, dada la eventualidad de fracasos terapéuticos.

Dorita Barrientos lives in Sivingal.

One Sunday, while she was helping her family with the pea harvest, she began to feel unwell. The sun was burning her skin but she carried on working. The truck that drove her mother to the market to sell the vegetables would leave early, and it is the yearly harvest of legumes that brings in the highest income.

On Monday morning, when she was into her third week of treatment with *benznidazole*, her face broke out in blisters and she could hardly swallow because her mouth had swollen up. On Tuesday an MSF team arrived for the weekly check-ups and they realised immediately that she had to be hospitalised. Just as in a previous case the year before, (that of Grecia Cayetano, a girl from another community also under MSF supervision) a toxic epidermal necrolysis had broken out, the most serious skin reaction to the treatment that can be registered. When this happens, the risk of dehydration is imminent and one in four patients can die.

Dorita and her family were scared. Everybody in the community followed the events closely: a car was driving one of their girls to Tarija, and they knew that the reason Dorita's skin was peeling off in shreds, was the pills that the other children of Sivingal were also taking.

After a week in hospital, Dorita recovered. The spots on her face, arms and feet disappeared. She had to give up her treatment with *benznidazole* after 21 days but she is going to try again with *nifurtimox*, the other drug that can be used for treating Chagas disease. About 20% of patients suffer side effects from the medication, although in most cases, especially in children, adverse reactions are mild and can easily be dealt with using ordinary medicine. Dorita is only 11 and has her whole life ahead of her.

Dorita had a second chance because she was on an MSF program that was able to administer *nifurtimox*. However, in some countries only one of the two treatment drugs is included in the national treatment protocol; this is despite WHO recommendations for countries to have both drugs available given the instances of therapeutic failure.

P 82-83: Reacción dermatológica adversa por la ingesta del tratamiento. Es clave detectar a tiempo este tipo de efecto secundario y suspender la medicación inmediatamente.

P 82-83: Adverse skin reaction caused by the treatment. It is vital to detect this type of side effect early and stop treatment immediately.

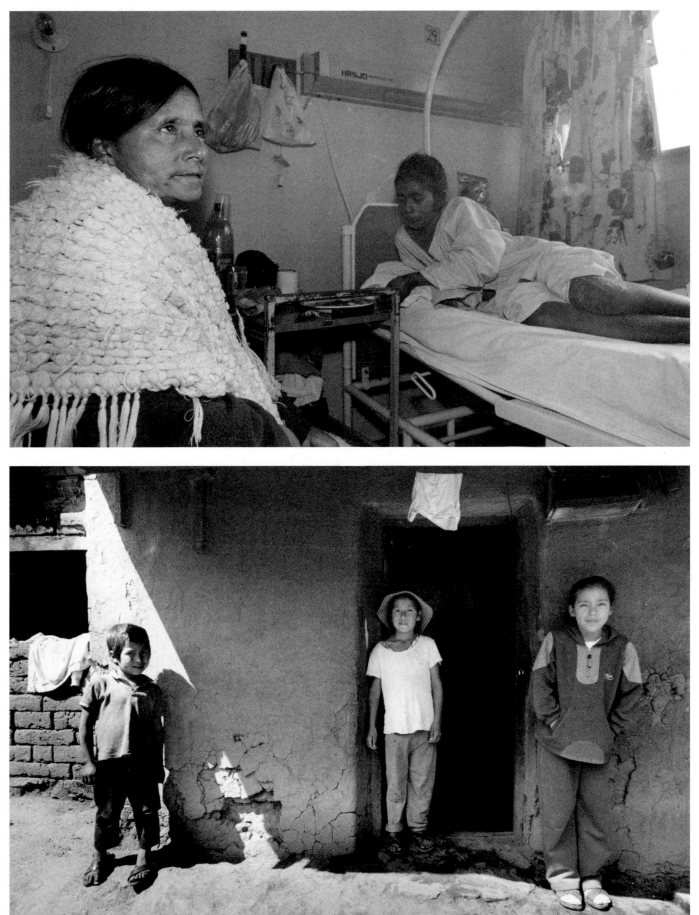

Dorita Barrientos y su madre, Doña Petrona, en el hospital en el que fue internada tras sufrir una reacción adversa al tratamiento.

Dorita Barrientos and her mother, Doña Petrona, in the hospital where she was taken after suffering an adverse reaction to treatment.

Dorita Barrientos (a la derecha) junto a sus hermanos una vez desaparecida la reacción cutánea que le provocó el tratamiento.

Dorita Barrientos (on the right) with her brother and sister once the skin rash caused by the treatment had disappeared.

Las dos caras del tratamiento

" Cada vez que diagnosticamos a un niño de Chagas, sabemos con casi total seguridad que, si hiciéramos las pruebas a los padres, también serían positivos. Entonces, ¿cómo puedo volver tranquila a casa, cuando cada día dejo a tantos enfermos sin atender?"
WILMA CHAMBI, MÉDICA DE TERRENO DE MSF EN TARIJA.

El Chagas es un problema de salud pública que afecta por igual a niños y adultos. Con el tiempo, en una casa con presencia prolongada de vinchucas, acaba por contagiarse toda la familia. Aunque las vinchucas no tuvieran el parásito, bastaría con que picasen a un animal o a algún miembro de la familia ya infectado para adquirirlo y, a su vez, propagarlo a los restantes habitantes de la vivienda. Incluso los niños que nacen de mujeres enfermas, aunque la vinchuca hubiera sido erradicada de su hogar, están expuestos también al contagio de madre a hijo. Por esta razón, atender únicamente a los menores de 15 años es un dilema ético y médico que los trabajadores sanitarios deben afrontar todos los días.

El Chagas no discrimina entre sus víctimas, el tratamiento hasta ahora existente sí lo hace. Un enfermo recién infectado tiene altas probabilidades de curarse. Los pacientes crónicos que llevan muchos años infectados parecen tener escasas posibilidades de curación. Además, el riesgo de presentar reacciones adversas graves aumenta con el tiempo, de modo que la aparición de efectos secundarios es más frecuente cuando los tratados son adultos.

Todos los días se acercan hombres y mujeres a los sanitarios de MSF queriendo saber si tienen Chagas. Una duda que ellos no pueden resolver porque no existen en la actualidad programas públicos que contemplen el diagnóstico y tratamiento de adultos. Es urgente investigar y recabar datos que permitan conocer cuáles serían las probabilidades de curación en estos pacientes y los resultados que podría tener el tratamiento para detener el avance de las lesiones cardio-digestivas. Hay que agotar todas las alternativas.

The two faces of treatment

" Every time a child is diagnosed with Chagas, we are almost certain that if we carried out the same tests on his/her parents, they would also be positive. Tell me, how can I go home at night and relax knowing how many patients I leave unattended everyday?"
WILMA CHAMBI, MSF FIELD DOCTOR IN TARIJA.

Chagas is a public health concern that affects children and adults alike. In time, a whole family ends up being infected if they live in a vinchuca-infested house. Even if a vinchuca is not carrying the parasite, simply biting an infected animal or family member would be enough to acquire it and in turn pass it on to other people in the house. Children born to women who are infected, despite living in a vinchuca-free home, are exposed to mother-to-baby transmission. On these grounds, only providing medical assistance to children under 15 is an ethical and medical dilemma faced by health workers every day.

Chagas disease does not discriminate between its victims, but the treatment that exists today does. Someone who has only recently been infected has a high chance of being cured. Chronic patients who have been infected for years seem to have less possibility of recovery. Not only that, but the risk of serious adverse side effects increases with time, hence their appearance is much more frequent in adult patients.

Every day men and women approach MSF health staff wanting to know if they have Chagas disease. A problem they alone cannot solve given that there are currently no public programs that provide diagnosis and treatment for adults. It is essential to collect and research data that would allow us to estimate the probability of recovery in these patients and see how effective the treatment would be in thwarting the advance of cardio-digestive lesions. All possible alternatives must be exhausted.

Control cardiológico a enfermo crónico de Chagas internado en el hospital de Tarija.

Heart check-up to a chronic inpatient at Tarija Hospital.

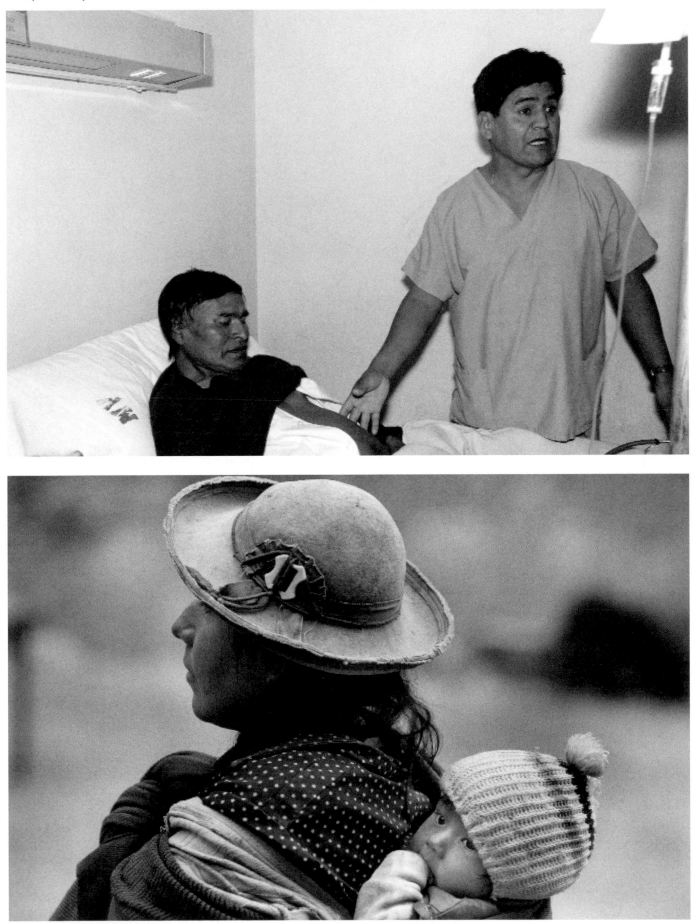

La falta de dosis pediátricas dificulta la administración del tratamiento en niños.

The lack of pediatric doses hinders treatment administration to children.

Jorge Aldana

Jorge Aldana tiene 52 años, pero todavía conserva las ganas de aprender. Como es director del núcleo educativo de Tentaguasu, en pleno territorio guaraní, quiere que le enseñen la lengua de sus alumnos y se pasa el día preguntando a sus profesores bilingües el significado de las cosas.

Desde hace unos meses sabe que tiene Chagas y además lo nota. No camina a las alejadas escuelas de su núcleo como antes, se cansa cuando tiene que hacer esfuerzos y siente palpitaciones. Cuando comenzó a percibir tales signos, visitó a médicos y especialistas contándoles sus sospechas sobre la enfermedad. Ninguno consideró la necesidad de hacerle la prueba del Chagas y, al final, él mismo acabó costeándosela en un laboratorio privado de Tarija.

Jorge admite que al conocer el diagnóstico pensó en sus hijos, pero que prefiere la verdad a ignorar qué le pasa. Estaría dispuesto a seguir el tratamiento si éste le permitiera curarse, incluso lo pagaría si fuera preciso. Se siente impotente porque le han explicado que la única medicación que existe para el mal de Chagas no tiene garantías de eficacia en adultos y además no se justifica por la posibilidad de sufrir graves efectos secundarios. Todos los médicos a los que ha consultado se lo desaconsejan.

Jorge Aldana is 52 years old but he is still keen to learn. He is head of the educational centre in Tentaguasu, in central Guarani territory. He wants to learn his students´ language and spends the whole day asking his bilingual teachers the meaning of words.

He has known that he has Chagas for some months now, and he feels it. He no longer walks to the schools that are a long way from his own centre, he gets tired when he has to make a physical effort, and he has heart palpitations. When he started to notice these symptoms, he saw doctors and specialists and told them about his suspicion that he may have the disease. None of them deemed it necessary to test him for Chagas disease and he finally ended up paying for tests himself at a private laboratory in Tarija.

Jorge admits that when he heard the diagnosis he thought of his children, but he would rather know the truth about what was happening to him than remain ignorant. He would be prepared to undergo treatment if that meant a cure; he would even pay for it himself if necessary. He feels powerless because he has been told that the only drugs to combat Chagas disease have no guarantees of success in adults, and besides, it is not worth taking the risk of suffering its serious side effects. Every doctor he has seen so far has advised him against it.

P 88-89: Jorge Aldana, enfermo de Chagas y director del núcleo educativo de Tentaguasu.

P 88-89: Jorge Aldana, Chagas patient and head of the educational centre in Tentaguasu.

Actividad de MSF para educar
a través de títeres sobre la
enfermedad de Chagas.

MSF activity designed to teach
people about Chagas disease
through puppet shows.

Jorge Aldana asiste con sus alumnos a
la obra de títeres sobre el Mal de
Chagas organizada por MSF.

Jorge Aldana with his students while
attending the puppet show on Chagas
disease organized by MSF.

Por el contrario, donde existen datos científicos que confirman las terapias actuales como eficaces (independientemente de la edad) es en la etapa de Chagas agudo, cuando la enfermedad se detecta en los días posteriores a la infección. En esta fase, el *benznidazol* y el *nifurtimox* tienen una efectividad superior al 70%, y casi del 100% cuando se trata a recién nacidos contagiados por su madre en el momento del parto (Chagas connatal). Basándose en estas tasas de curación, en los últimos años, varios países han puesto en marcha programas que tienen como objetivo primordial diagnosticar estos casos y medicarlos. El Chagas connatal (de 0 a 9 meses de edad) se ha verificado como una enfermedad curable a bajo coste. El problema, sin embargo, sigue siendo la identificación de los enfermos, ya que la búsqueda activa aún no está sistematizada.

En amplias zonas del Continente Americano, la mayoría de los partos siguen produciéndose a nivel domiciliario, lo que dificulta sobremanera la detección y tratamiento de los recién nacidos. Como estrategia, se empieza a generalizar la realización de pruebas de Chagas a mujeres gestantes, con el objetivo de conocer cuáles son positivas y someter a seguimiento a sus bebés. Esta decisión, sin embargo, ha sacado a la luz la contradicción que representa diagnosticar a una madre con el sólo objeto de salvaguardar la salud de su hijo, sin ofrecerle ninguna alternativa de tratamiento a ella.

On the other hand, in the acute stage of Chagas, existing scientific evidence confirms current treatment to be efficient (regardless of age) when the disease is detected shortly after infection. During this phase, *benznidazole* and *nifurtimox* have an efficacy of over 70%, and almost 100% in new-born babies who have been congenitally infected (connate Chagas). On the basis of these results, many countries have launched programs aimed at diagnosing and treating these cases. Connate Chagas (from 0 to 9 months old) has proved to be a low-cost curable disease. The problem, however, continues to be the identification of patients since an active search has not yet been systematised.

In many parts of the American Continent, babies continue to be delivered at home, something which greatly impedes the detection and treatment of infants. Testing pregnant women for Chagas disease is becoming common practice in order to detect positive cases and hence subject their babies to monitoring. However, the contradiction that this decision represents has been highlighted: to diagnose a mother with the sole purpose of safeguarding her child's health and provide no alternative treatment for her.

Dr. Juan Manuel Jijena

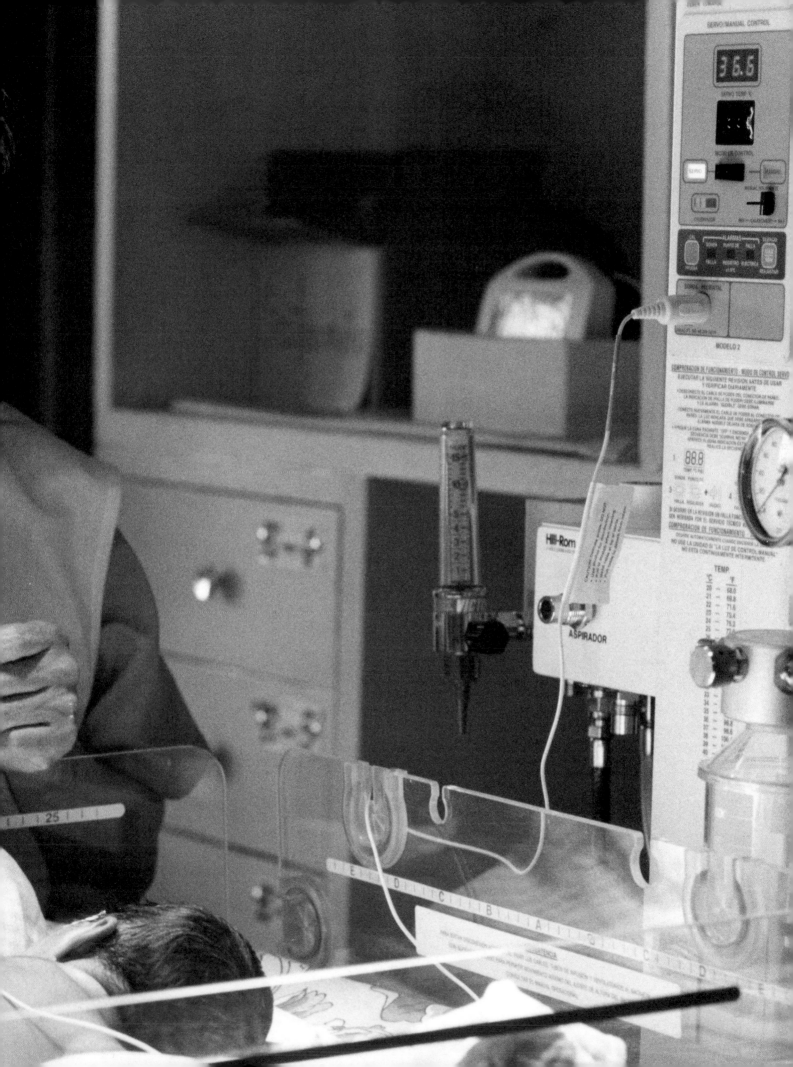

Dr. Juan Manuel Jijena

después de 30 años trabajando como neonatólogo en el Hospital de Tarija, el Dr. Juan Manuel Jijena ha diagnosticado a cientos de embarazadas portadoras de Chagas y ha tratado a decenas de recién nacidos con esta enfermedad. Es consciente de que la transmisión congénita del Chagas de madre a hijo es sólo la punta del iceberg de este mal. Según las estadísticas que maneja su servicio, el 40% de las pacientes son positivas y un 7% de ellas transmiten el parásito a sus pequeños. En todo este tiempo, la clave de su trabajo ha sido contar con la complicidad de las madres y comprobar cómo cada vez son más las que llegan al hospital exigiendo saber si están enfermas o no. Ellas saben que no las curarán, pero al menos quieren poder ofrecerles a sus hijos la posibilidad de un tratamiento.

El Dr. Jijena ha sido un pionero en Bolivia en el diagnóstico y tratamiento del Chagas connatal y su experiencia lo lleva a reclamar la urgente necesidad de dosis y presentaciones pediátricas de la medicación que faciliten su administración a los niños. Además, cree imprescindible romper el círculo vicioso de la enfermedad: "si tratamos a las niñas, estaremos consiguiendo que cuando sean madres no contagien a sus hijos; si acabamos con la vinchuca, impediremos que los recién nacidos que curamos se vuelvan a infectar".

Dr. Juan Manuel Jijena

after thirty years of work as a neonatologist at Tarija Hospital, Dr. Juan Manuel Jijena has diagnosed hundreds of cases of pregnant women who are Chagas carriers and treated dozens of newborn babies with this disease. He is aware that the congenital transmission of Chagas is just the tip of the iceberg. According to his department's statistics, 40% of patients test positive and 7% transmit the parasite to their children. Over the years, the success of his work has depended on the collaboration of these women, and it is confirmed by the increasing numbers of women turning up at hospitals and demanding to know if they are ill or not. They know they will not be cured, but they at least want to offer their children the possibility of treatment.

Dr. Jijena is a pioneer in the diagnosis and treatment of connate Chagas in Bolivia, and his experience leads him to demand, as a matter of urgency, the need for paediatric doses and formulas of the drug in order to facilitate its administration to children. He also considers it vital to break the disease's vicious circle: "if we treat the girls, we will in turn be preventing their children from being infected when they become mothers; if we eliminate the vinchucas, we will be preventing the cured newborn babies from being reinfected."

P 94-95: Dr. Juan Jijena, neonatólogo del Hospital de Tarija e investigador del Chagas congénito.

P 94-95: Dr. Juan Jijena, a neonatologist at Tarija Hospital and researcher on congenital Chagas.

Los niños que nacen de madres enfermas de Chagas tienen 100% de probabilidades de curarse si se detectan a tiempo.

Children born to Chagas-infected mothers have a 100% chance of cure if detected in time.

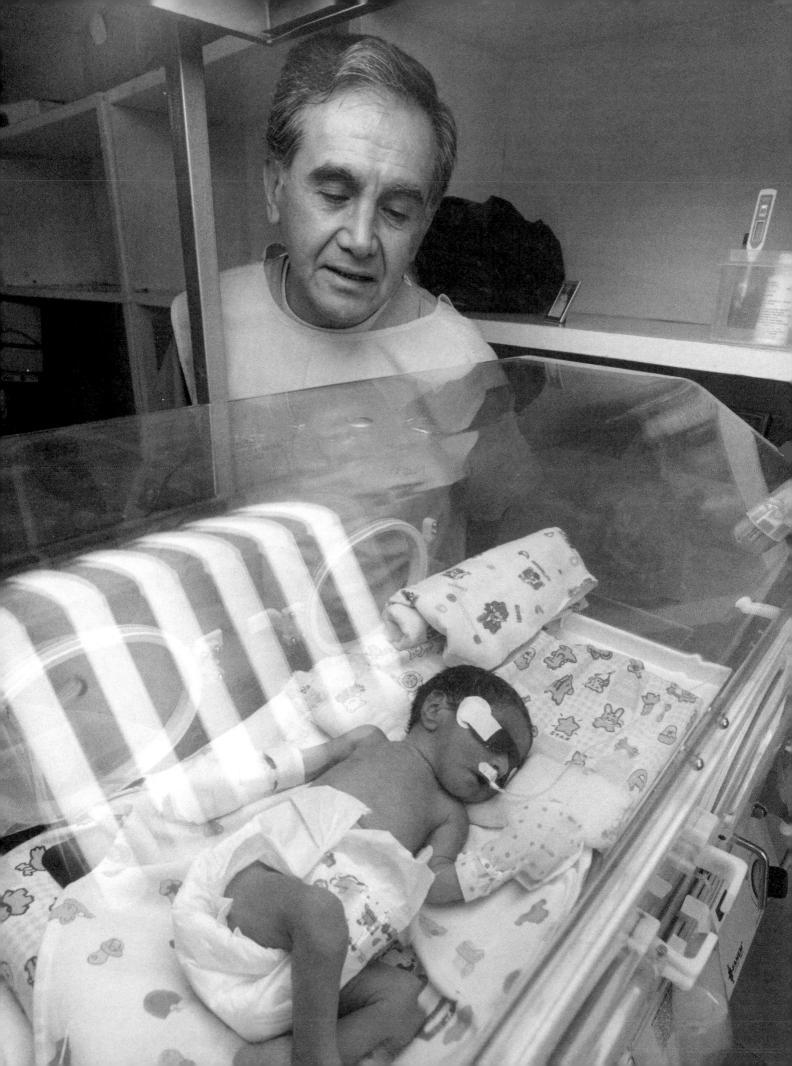

En la última década, los países

centroamericanos, andinos y del Cono Sur han formado parte de iniciativas internacionales que, sin embargo, no han ido acompañadas del desembolso económico requerido ni de la puesta en marcha de Programas Nacionales de Chagas con dotación presupuestaria adecuada. Sus actividades se han centrado en la prevención y el control del contagio, dejando en segundo plano el diagnóstico y tratamiento de los infectados, así como el acceso al tratamiento sintomático, que puede mejorar su calidad de vida (p.ej. fármacos antiarrítmicos o colocación de marcapasos, ambos de elevado coste para los pacientes). Los organismos internacionales tampoco han situado esta enfermedad entre sus prioridades y apenas han liberado fondos dirigidos a combatirla.

" Hay más de 8.000 niños, repartidos en más de 100 comunidades, beneficiarios de este proyecto puesto en marcha por Médicos Sin Fronteras. No sólo es importante diagnosticarlos y tratarlos, además queremos aprovechar la ocasión para asumir la responsabilidad que tenemos como Autoridades Sanitarias y hacer de este proyecto un programa sostenible".
VIRGINIA PÉREZ, GERENTE DE LA RED DE SALUD DE O'CONNOR (BOLIVIA).

In the last decade, Latin American,

Andean and Southern Cone countries have formed part of international initiatives that have not, however, been aided either by the required economic investment or the creation of National Chagas Programs with adequate budgetary funding. Their activities have centred on prevention and transmission control, leaving aside the diagnosis and treatment of infected patients as well as access to symptomatic treatment which could help improve their standard of living (e.g. anti-arrhythmic drugs or pacemaker implants, both of which are expensive for patients). Neither have international bodies made this disease one of their priorities nor have they granted any significant funds aimed at combatting it.

" This project, launched by MSF, has helped more than 8,000 children in over 100 communities. Not only is it important to diagnose and treat them but we also want to take advantage of the occasion to assume the responsibility we have as health officials and ensure that this project is a sustainable program."
VIRGINIA PÉREZ, MANAGER OF THE HEALTH NETWORK IN O'CONNOR (BOLIVIA).

Epílogo

Cuando decimos que la enfermedad de Chagas es una enfermedad "silenciosa", sólo constatamos un hecho objetivo: es una enfermedad que, en la mayoría de los casos, se presenta sin signos ni síntomas que hagan sospechar su presencia durante varios años. Los pacientes que la sufren a menudo no saben que están infectados, hasta que la afectación cardiaca o digestiva se manifiesta ya en la fase crónica de la enfermedad.

Sin embargo, cuando decimos que el Chagas es una enfermedad "silenciada", queremos directamente señalar que hay quienes la silencian. Este libro es un testimonio con el que pretendemos denunciar la falta de voluntad de quienes podrían y deberían tenerla para atajar un problema con el que viven y por el que mueren miles de personas en el Continente Americano.

La enfermedad de Chagas es silenciada y, por tanto, se ignora a los pacientes que la sufren cuando no se busca activamente a las personas infectadas y no se aplican programas de diagnóstico, tratamiento y gestión de la enfermedad una vez contraída. La producción farmacéutica de los dos únicos medicamentos que existen en el mercado para tratar esta enfermedad actualmente no está garantizada. No se exige el registro de estos fármacos ni aparecen incluidos en las listas de medicamentos esenciales de algunos países endémicos. Las autoridades responsables no destinan presupuestos a su compra o son tan limitados que apenas sirven para tratar a unos pocos. Tampoco se dedican esfuerzos para encontrar nuevos medios diagnósticos y estandarizar tratamientos para las personas infectadas. Ni siquiera en los organismos internacionales o los Ministerios de Salud nacionales se habla de la realidad de unos pacientes que, por sus características socioeconómicas, tienen escasa capacidad de reivindicar sus derechos.

El primer paso para tratar a una persona enferma infectada por el mal de Chagas es saber que lo está. Llama por tanto la atención la falta de cifras reales de personas infectadas. El curso silencioso de la enfermedad no puede ser una excusa –también la infección por VIH cursa de forma silenciosa hasta que aparecen las primeras infecciones oportunistas y, sin embargo, tenemos una idea bastante más aproximada de las cifras de infectados por VIH–. La voluntad de identificar a los pacientes juega un papel crucial en este tipo de infecciones latentes en su origen, pero es evidente que en la infección por Chagas el interés es escaso.

Para realizar el diagnóstico es necesario utilizar al menos dos pruebas basadas en técnicas diferentes y, en caso de discordancia entre ambos resultados, realizar un tercer test para poder confirmar la infección. La complejidad del propio proceso refleja la desidia existente respecto a esta enfermedad.

Epilogue

When we say that Chagas disease is a *silent* one, we are simply stating a fact: in most cases it is a disease that presents no suspicious signs or symptoms for several years. Patients who suffer from it are not often aware that they are infected until heart or digestive dysfunction develops in its chronic stage.

However, when we say that Chagas is a *silenced* disease we want to stress that there are those who wish to silence it. This book is a testimony through which we seek to condemn the disregard shown by those who could and should be working to find a solution to this problem; a problem that thousands of people in the American Continent live with and die of.

Chagas disease is silenced and therefore sufferers are ignored; there is no active search for infected people, and diagnosis, treatment and management programs are not applied once the disease has been contracted. The pharmaceutical production of the only two drugs on the market to treat this disease is not currently guaranteed. The registration of these medicines is not required and they do not even appear on the lists of essential drugs of some of the endemic countries. The authorities responsible do not allocate funds for their purchase and if they do, resources are so limited that they hardly suffice to treat the lucky few. Furthermore, no effort is made to find a new means of diagnosis or to standardise the treatment of infected patients. Not even the international organizations or Health Ministries address the reality of these patients' situation; patients who, due to their socio-economic status, have no means of claiming their rights.

The first step towards treating an infected person is to determine that they actually have the disease. It is therefore striking that there are no official figures indicating the number of people affected. The silent course of the disease is not a valid excuse –HIV infection also follows a silent course until the first opportunistic infections appear, and yet we have a much better estimate of the number of HIV carriers—. The will to identify patients plays a crucial role in this type of origin-latent infections, but an interest in Chagas disease is sadly lacking.

In order to make a diagnosis, it is necessary to carry out at least two tests using different techniques and, in the case of a discrepancy in the results, conduct a third one in order to confirm the infection. The complexity of the process itself reflects the existing negligence regarding the disease. The diagnostic methods available, though quite effective in identifying positive cases, are less reliable in follow-up treatment. This is because serology continues to be positive many months after medication has been administered and thus generates anxiety in patients and higher costs. It is necessary to research and develop (R & D) highly specific and sensitive diagnostic methods that are both context-adapted and affordable.

Los métodos diagnósticos disponibles, a pesar de ser bastante eficaces para identificar a los infectados, son menos idóneos para el seguimiento de su tratamiento, ya que la serología sigue siendo positiva muchos meses después de haberse administrado la medicación, generando más costos y angustia a los pacientes. Es necesaria la investigación y desarrollo (I+D) de métodos de diagnóstico con especificidad y sensibilidad alta, adaptados a los contextos y a costos asequibles

En cuanto al tratamiento, los dos únicos fármacos disponibles (*nifurtimox* y *benznidazol*) no son precisamente óptimos: requieren un tratamiento prolongado y la frecuencia de efectos secundarios es elevada, contribuyendo a que la curación diste de llegar al 100% de los casos. Por otro lado, la única presentación farmacéutica es para pacientes adultos: no existen en el mercado presentaciones pediátricas específicas para tratar a los niños (grupo de población con mayor respuesta positiva al tratamiento); apenas se dedican esfuerzos a la I+D de nuevos medicamentos más eficaces y seguros; y las iniciativas puntuales que se realizan en la actualidad se basan más en compromisos personales que en un mandato claro de la necesidad y obligación de hacerlo.

Aún con sus limitaciones, éstos son los únicos fármacos que tenemos y, sin embargo, a menudo no constan en las Listas Nacionales de Medicamentos Esenciales (LNME), a pesar de ser una enfermedad endémica en los países de América Latina y de estar incluidos en la Lista de Medicamentos Esenciales de la Organización Mundial de la Salud (OMS). En muchos países centroamericanos y andinos ni siquiera están registrados, y se asignan escasos o nulos presupuestos para la compra de los mismos.

Según la definición de la propia OMS, el hecho de estar incluidos en la LNME exige a las autoridades sanitarias del país que los medicamentos estén disponibles donde y cuando se necesiten, y en las cantidades y formas farmacéuticas adecuadas. Si no están en esta lista, la responsabilidad desaparece. Por otro lado, el hecho de estar registrados en el país implica un reconocimiento por parte de las autoridades competentes de la utilidad de los fármacos para la población y la activación del sistema de fármaco-vigilancia. La ausencia de este registro, además de limitar el mercado, supone un desentendimiento del medicamento y sus efectos por parte de las autoridades sanitarias.

As regards existing treatment, neither of the two available drugs, *nifurtimox* and *benznidazole*, are ideal: the treatment required is lengthy and the incidence of side effects is high; this means that cure efficacy is far from 100%. Besides, the only pharmaceutical formula is for adult patients; there is no specific paediatric treatment on the market aimed at the age group which best responds to the drugs. Hardly any effort is devoted to the R&D of new, effective and safer drugs, and ongoing specific initiatives respond to personal commitments rather than to a clear mandate stating the need and obligation to carry out this work.

Despite their limitations, these are the only drugs available, and even so they are often not included on the National Lists of Essential Medicines (NLEM). This is hard to understand considering that Chagas is an endemic disease in Latin America and the treatment is included on the World Health Organization's (WHO) List of Essential Medicines. In many Central American and Andean countries the drugs are not even registered and the funds allocated for their purchase are meagre or non-existent.

According to the WHO´s definition of the problem, if drugs are included on the NLEM the country's health authority is required to ensure that medication is available when and where it is needed, in adequate quantities and pharmaceutical formulas. If the drugs are not on the list, this responsibility does not exist. Besides, registration of the drug implies recognition by the incumbent authorities of its value to the population and the installation of the drug surveillance system. The absence of this register, as well as limiting the market, means that the health authorities are freed of all responsibility for the drug and its supply.

Todo lo anterior repercute en la demanda de fármacos dirigida a los laboratorios farmacéuticos. Naturalmente que esta demanda es baja en la actualidad; es la excusa que con frecuencia alegan los laboratorios para no asegurar la producción y distribución de los dos fármacos existentes (también utilizada por los productores de genéricos para no involucrarse), y para no investigar nuevas moléculas.

Dentro de los organismos internacionales, la Organización Panamericana de la Salud (OPS) es responsable de estimular el control de la transmisión así como, por su parte, el Programa Especial para la Investigación y Entrenamiento en Enfermedades Tropicales (TDR) lo es de estimular la investigación y desarrollo de nuevas moléculas y herramientas de control de la enfermedad. Sin embargo, no hay ningún organismo que directamente lidere el tratamiento de las personas ya infectadas de Chagas ni de las que se están infectando anualmente por otras vías no vectoriales que no están bajo control.

Las personas que padecen la enfermedad de Chagas están atrapadas en el círculo de la falta de interés y voluntad política: no búsqueda activa de los enfermos – no diagnóstico – no tratamiento – no demanda – no investigación.

Romper este círculo vicioso en torno a los pacientes infectados es responsabilidad de todos los que podemos hacer algo para revertir la actual situación: gobiernos latinoamericanos, laboratorios farmacéuticos, organismos internacionales y también la población civil, representada a su vez en la figura de las organizaciones no gubernamentales (ONG).

Como dice Eduardo Galeano, el Chagas es "una tragedia que no suena". Es tarea de todos hacer que suene y dar voz a los que no pueden tenerla. Porque, aunque silenciosos, desconocidos e ignorados, existen.

EMILIA HERRANZ MONTES
PRESIDENTA DE MÉDICOS SIN FRONTERAS-ESPAÑA

This situation affects the demand made on the pharmaceutical laboratories. Naturally, the fact that this demand is low at present is the excuse labs put forward for not guaranteeing production and distribution of the two existing drugs (a lead followed by generics producers to avoid getting involved) and for not researching new molecules.

Within the international bodies, the Pan American Health Organization (PAHO) is responsible for stimulating transmission control in the same way that the Special Program for Research and Training in Tropical Diseases Research (TDR) is responsible for stimulating the research and development of new molecules and tools for disease control. However, there is no organization that strictly deals with either the treatment of Chagas infected patients or of those who are infected on an annual basis via non vector-borne channels which are not under control.

The people who suffer from Chagas are trapped within a vicious circle formed by political disregard and a lack of interest: no active searches for infected people – no diagnosis – no treatment – no demand – no research.

Breaking this circle is surrounding the infected is the global responsibility of all those who have the power to modify the current situation: Latin American governments, pharmaceutical laboratories, international organizations, and the general public embodied in non-governmental organizations (NGO).

In the words of Eduardo Galeano, Chagas disease is "a silent tragedy." It is everyone's duty to break that silence and give a voice to those who have none. Because, although they are silent, unknown and ignored, they exist.

EMILIA HERRANZ MONTES
PRESIDENT OF MÉDECINS SANS FRONTIÈRES-SPAIN

Médicos Sin Fronteras

Médicos Sin Fronteras (MSF) es una organización humanitaria internacional de acción médica que aporta su ayuda a las víctimas de catástrofes de origen natural o humano y de conflictos armados, sin discriminación de raza, sexo, religión, filosofía o política.

Más de treinta años trabajando
MSF es una organización privada, independiente y aconfesional que tiene su origen en el inconformismo de dos grupos de médicos que coincidieron en Francia a principios de los años setenta. Unos habían sido testigos del genocidio de la minoría Ibo durante la guerra de secesión de Biagra (Nigeria, 1968). Otros acababan de comprobar sobre el terreno la descoordinación y la falta de medios con que se atendió a las víctimas de las inundaciones que en 1970 asolaron Pakistán Oriental (actual Bangladesh).

La acción humanitaria
La acción humanitaria es un gesto de una sociedad civil a otra que se caracteriza por dos elementos inseparables y complementarios entre sí: la asistencia y la protección.
Trabajamos con las personas víctimas de la exclusión, y es esta proximidad la que permite realizar un acto de solidaridad sobre la base de los principios humanitarios de humanidad, independencia, imparcialidad, neutralidad y voluntariado. Para garantizar el carácter humanitario de la asistencia, MSF considera imprescindible que se den tres condiciones básicas: la libertad de acceso a las poblaciones vulnerables, la evaluación imparcial de las necesidades humanitarias de dichas poblaciones y la supervisión y control de la cadena de asistencia.

Áreas de actuación
MSF actúa en conflictos armados, catástrofes naturales y de origen humano, campos de refugiados y desplazados, epidemias, hambrunas, programas a medio plazo y situaciones de exclusión. Consideramos que la sensibilización de la sociedad es parte integrante de nuestro trabajo, con la finalidad de rescatar del olvido a las poblaciones en situación precaria. Para ello, MSF testimonia sobre desplazamientos forzados, violaciones masivas de derechos humanos, genocidios, crímenes de guerra, y emprende campañas de sensibilización y presión para promover cambios en la legislación vigente e influir en los procesos de toma de decisiones.

MSF cuenta actualmente con sedes en 19 países, está presente en más de 75 y envía cada año a los diferentes escenarios de crisis a 3.500 profesionales de 45 nacionalidades que colaboran con unos 16.000 profesionales locales. Es una labor que puede llevarse a cabo gracias a más de dos millones y medio de socios y colaboradores en todo el mundo. Ellos representan el apoyo de la sociedad civil a las actuaciones de MSF y preservan su independencia económica y de acción.

Para más información contacte con 902 250 902 (España)
www.msf.es

Medécins Sans Frontières (MSF) is an international humanitarian organisation providing medical aid which assists victims of man-made and natural disasters and of armed conflicts, regardless of race, sex, religion, philosophy or politics.

Over thirty years of work
MSF is a private, independent, non-religious organisation that has its roots in the nonconformity of two groups of doctors who coincided in France at the beginning of the seventies. Some had witnessed the genocide of the Ibo minority population during the Biafran war of independence (Nigeria 1968). Others had just had first hand experience of the lack of co-ordination and resources available to aid the victims of the floods that devastated eastern Pakistan (now Bangladesh) in 1970.

Humanitarian aid
Humanitarian aid is a gesture from one civilian society to another, characterised by two inseparable and complementary elements: aid and protection.
We work with people who are victims of exclusion, and it is this proximity which enables us to act in solidarity with them based on the humanitarian principles of humanity, impartiality, neutrality and voluntary work. In order to guarantee the humanitarian aspect of its aid, MSF considers the following three conditions to be vital: free access to vulnerable populations, the impartial evaluation of the humanitarian needs of these populations, and the supervision and control of the whole aid process.

Areas in which we work
MSF offers aid in armed conflicts, natural and man-made disasters, in refugee camps, epidemics, famines, mid-term programmes and exclusion situations. We believe that an integral part of our work is to raise public awareness of these predicaments. It has the purpose of bringing to light the precarious circumstances of otherwise forgotten populations. To this end, MSF informs the world of forced displacements, massive human rights violations, genocides and war crimes. It launches campaigns to raise awareness, pressurize for changes in current legislation and to influence the decision-making process.

MSF currently has offices in 19 countries and is present in over 75. Each year it sends 3,500 professional aid workers of 45 nationalities to different crisis areas, where they collaborate with 16,000 local professional workers. This work can be carried out thanks to our over 2,5 million members and collaborators worldwide. They represent the public's support for MSF aid activities and maintain the organisation's financial independence and freedom to act.

For further information call: 902 250 902 (Spain)
www.msf.es

Agradecimientos

A todas las personas que aparecen fotografiadas en este libro por su generosidad.

A Editorial Losada por impulsar esta publicación en colaboración con Médicos Sin Fronteras y creer necesaria la difusión del Mal de Chagas.

Al escritor uruguayo Eduardo Galeano, por su hermoso texto escrito para este libro.

A Cáritas Pastoral Social de Tarija, por permitir fotografiar las actividades de mejoramiento de viviendas.

Al Dr. Roberto Salvatella Agrelo (Consultor OPS/OMS Uruguay), por su colaboración y asesoramiento.

A Janis K. Lazdins-Helds, M.D., Ph.D. (Coordinador de Investigación para la Enfermedad de Chagas. Programa Especial para la Investigación y Entrenamiento en Enfermedades Tropicales, TDR. Organización Mundial de la Salud, Ginebra, Suiza), por su apoyo técnico y supervisión.

A Hugo Soriani y Página/12 en Argentina, por acompañar todas las fases de este proyecto y abrir puertas.

Al laboratorio fotográfico Buenos Aires Color por su profesionalidad y compromiso con este trabajo.

A todo el equipo de MSF en Bolivia.

Special Thanks

To all those people photographed in this book for their generosity.

To Editorial Losada for promoting this publication in collaboration with MSF and for seeing the need to give widespread coverage to Chagas Disease.

To the Uruguayan writer Eduardo Galeano for the beautiful text he wrote for this book.

To Cáritas Pastoral Social de Tarija for allowing housing improvement work to be photographed.

To Dr. Roberto Salvatella Agrelo (PAHO/WHO consultant, Uruguay) for his advice and collaboration.

To Janis K. Lazdins-Helds, MD, PhD, (Coordinator of Research into Chagas Disease, the Special Research and Training Programme for Tropical Diseases - TDR, and the World Health Organisation, Geneva, Switzerland) for his technical support and supervision.

To Hugo Soriani and Página/12 in Argentina for being with us through all of the phases of this project and opening doors.

To Laboratorio Fotográfico Buenos Aires Color for its professionalism and commitment to this job.

To MSF team in Bolivia.